JN058856

文化で地域をデザインする

社会の課題と文化をつなぐ現場から

松本茂章 編著

学芸出版社

はじめに

　現代社会は複雑になり過ぎているのかもしれない。個別の政策課題が深刻化し、対策を講じるためには相当の専門知識が必要になってくる。中央省庁や自治体の仕事も細分化され、それぞれの担当部署の仕事が専門的になっていく。専門性が深まって縦に深く掘り込まれることは歓迎されるものの、その分、横への関心が薄くなってしまわないか不安だ。学問も同様である。複雑になる現代社会に対応してディシプリン（学問）や学術団体が増えていき、研究がタコつぼになってしまうのは困りものだ。

　2017 年に成立した文化芸術基本法の第 2 条では、文化芸術に関する施策の推進に当たって「関連する分野との有機的な連携が図られるよう配慮されなければならない」と明記され、具体的な分野として「観光、まちづくり、国際交流、福祉、教育、産業その他」を挙げた。この結果、文化政策の対象は大きく拡大した。多様な分野と絡んでいくことになる。だからこそ、各分野と文化政策の有機的な連携がどのようなものなのか、現場の実情はいかなるものなのか、を改めて検証しておきたいと思う。

　上記の背景をもとに編纂したのが本書『文化で地域をデザインする－社会の課題と文化をつなぐ現場から－』である。各分野や地域課題が文化と有機的に連携する様子を臨場感たっぷりに紹介している。分野ごとに政府や自治体の動きを踏まえたうえで各地の現場報告を掲載した。文化と地域課題の有機的連携をとらえた初めての書籍である。

　自治体職員、議会議員、財団職員、NPO スタッフ、市民団体や企業の関係者、大学の研究者・院生・学部生など幅広い方々が、本書に触れて、現場での取り組みや地域の課題解決の参考にしていただければ…と切望する。各地で活躍する地域人材の動きを知ったとき、必ずや刺激を受けて「自らも動き始めたい」という衝動に包まれることだろう。

　中心事例として取り上げた地域だけでも、北から青森県八戸市、埼玉県越谷市、東京都港区、杉並区、立川市、福井県小浜市、静岡県浜松市、愛知県名古屋市、滋賀県愛荘町、京都府京都市、南丹市美山町、大阪府狭山市、奈良県奈良市、鳥取県鳥取市、長崎県平戸市、宮崎県都城市…と 13 都府県に

及び、日本列島をカバーする。地域の課題を強く意識したので、首都圏在住の執筆者が一人もいない。執筆陣の職業は大学教員6人に加えて国家公務員1人、自治体職員1人、美術館スタッフ1人、民間2人でバラエティに富む。

　編者は届いた原稿を初めて読む立場にある。各地から生きのいい原稿に接して「目からうろこが落ちる」思いだった。そうだよね！と相槌を打ちながら読んだ。東京一極集中が進展しているなかで、数字だけでは伝わらない「地域の頑張り」や「地域人材の活躍ぶり」を紹介していこう。東京では実感できない「未来につながる胎動」や「将来へのヒント」を感じ取ってもらいたい。地域は限りない可能性を秘めていることが分かる。

　地域の課題は縦割りの行政組織では到底対応できない。悩みごとは行政であれ、企業であれ、市民団体であれ、いや個人であれ、それぞれが有機的に連携しあってこそ解決に向かうことを訴えたい。官民が一緒になって臨まない限り、解決策を講じることは難しくなる。

　本書では、「地域デザイン」という言葉を「課題解決に向けた地域の試み」という趣旨で使う。施設建設などハード整備のイメージを避け、より文化的な営みを重視する題名を検討した。従来の「まちづくり」の概念を超えた地域課題にも積極的に言及したいと願い、「地域をデザインする」に決めた。

　「文化」と「地域」と「デザイン」という三つの言葉を題名に掲げた理由は、特定の分野や地域課題にこだわらず、多様な立場あるいはディシプリン（学問）に関係する人材に執筆してもらおうと発案したからだ。研究者、実践者、研究者兼実践者、いずれもが含まれるように心がけた。

　第1章で文化芸術基本法の概要や筆者の思いに触れたあと、第2章から第7章まで各地域のリアルな事例報告を掲載する。最後の第8章で浮かび上がってきたことをまとめた。とはいえ掲載順に読む必要はない。興味ある分野から読み始めても構わない。さあ、「地域の限りない可能性」や「未来への胎動」を知るためにページをめくってみよう。

静岡文化芸術大学　松本　茂章

目次

第3章　産業振興

第4章　多文化共生・国際交流

第5章　まちづくり

第7章　福祉・医療

第1章
文化政策の拡張と
地域デザインの可能性 　　　松本茂章

1 本書のねらい

　本書『文化で地域をデザインする』は副題に「社会の課題と文化をつなぐ現場から」と名づけたように、社会の課題解決に取り組む人々の姿を紹介することで、地域に根差した活動を志す人々の参考になれば、と願って編纂した書籍である。

　筆者の専門は政策科学研究で、特に文化政策に関心を持っている。地域の文化政策あるいは自治体文化政策の現状と課題を見つめたいと全国各地を歩いてきた。具体的には公立文化施設の管理と運営、文化を活かした地域振興などを研究してきた。2006年以降、複数の月刊誌で各地の取り組みを紹介する連載を続けるなど、相当数の文化現場に足を運んできた。

　現場を歩いているうち、自治体による文化施設の設置や文化事業の実施は、狭義の自治体文化政策（あるいは文化行政）の枠内では収まり切らないことに気づいた。第1に公立文化施設を実際に管理運営しているのは自治体文化財団、企業、NPO法人などの指定管理者であり、もはや民を抜きに語れない。第2に財団や非営利組織の職員、その土地に暮らす文化人ら、各地域には大勢の文化政策人材やアートマネジメント人材が活躍していた。第3に文化振興という行政目的に限定されず、地方自治のあり方、地域の誇り形成、地域のガバナンス（官民協働の地域経営）など実に幅広い分野に関連していた。実態は多様で、地域に根差した取り組みが展開されており、総合的な姿勢が欠かせないとの思いを強くした。

　本書では文化政策という言葉を用いる。しかし世間では文化行政と文化政策という二つの言葉が併用して使われているので、用語の整理をしておこう。日本文化政策学会初代会長の中川幾郎（帝塚山大学名誉教授）は「文

化行政」という場合、国モデル受容型あるいは他自治体事業モデル追随型の「従来の思考および施策展開」をいい、「文化政策」という場合は「主体的かつ戦略的な政策志向とこれにもとづく施策展開を指すもの」と区別して用いた。[注1] 筆者も同感である。

特に文化行政という言葉には、余暇の充実や社会教育など従来のイメージが根強く残されている。対して筆者は以前から、文化をめぐる政府や自治体の取り組みを考える際、人権の問題としてとらえ、まちづくりや社会包摂などの幅広い政策分野に関連する不可欠なものであると考えてきた。何より筆者は官と民が連携して地域経営に当たる試み（地域ガバナンス）を積極的に評価している。文化行政といえば行政しか主体になり得ないので、官も民も主体になり得る文化政策という言葉を用いる。

筆者にとって、次節で述べる文化芸術基本法は「追い風」あるいは「後押し」の一つになったと受け止めている。とはいえ法律の条文は抽象的なので、各関連分野とどのように連携できるのか、具体的に考えてみたい。法律から抜けている課題が何なのかを探りたい。

後述するように、自治体の委員を務める機会があり、文化と関連分野の有機的な連携を分かりやすく伝える書籍があれば…と感じていたことも本書編纂の動機の一つである。

2 文化芸術基本法

「はじめに」で触れた文化芸術基本法は、2017 年 6 月に議員立法で成立した。通常国会（第 193 回国会）の同年 5 月 30 日、「文化芸術振興基本法の一部を改正する法律案」が衆議院にて全会一致で可決された。続いて6 月 15 日には参議院で同法案が全会一致で可決されて成立した。2001 年には文化芸術振興基本法が同じく議員立法で成立していたが、旧振興基本法に加筆するなどして新基本法が誕生した。

河村建夫・伊藤信太郎編著『文化芸術基本法の成立と文化政策　真の文化芸術立国に向けて』は、新基本法の特徴について次の 4 点を指摘する。[注2]

一つには文化芸術の振興にとどまらず、観光、まちづくり、国際交流、福祉、教育、産業その他の各関連分野における施策を法律の範囲に取り込んだこと。二つには、法律の題名を 2001 年制定の文化芸術振興基本法から文化芸術基本法に改めたほか、文化芸術推進基本計画を定めるように求めた。三つには、基本的施策として食文化の振興、（沖縄の）組踊りの継承、芸術祭の開催、現地語を用いた海外への普及、障害者や高齢者の活動の支援、文化芸術団体の活動への支援などを明示したこと。四つには、附則において改正後の基本法による文化芸術に関する施策の総合的な推進のために文化庁の機能の拡充等についての検討条項を設けたこと、である。基本法となったことで他の法律に優越する性格を持ち、他の法律がこれに誘導されるという関係に立っているという。^{注3)}

　新基本法の前文では、旧振興基本法の記述に対して「我が国の文化芸術の振興を図るためには、文化芸術の礎たる表現の自由の重要性を深く認識し…」という記述を加えた。表現の自由に配慮した点は重要である。

　同法第 2 条では「文化芸術に関する施策の推進に当たっては、文化芸術により生み出される様々な価値を文化芸術の継承、発展及び創造に活用することが重要であることに鑑み、文化芸術の固有の意義と価値を尊重しつつ、観光、まちづくり、国際交流、福祉、教育、産業その他の各関連分野における施策との有機的連携が図られるよう配慮されなければならない」と述べ、文化政策の対象を広げた。

　第 12 条も見逃せない。旧振興基本法では生活文化について「生活文化（茶道、華道、書道その他の生活に係る文化をいう。）」と表記していたが、新基本法では「生活文化（茶道、華道、書道、食文化その他の生活に係る文化をいう。）」と述べて「食文化」という 3 文字を加えたのだ。

　芸術家等の養成及び確保をうたった第 16 条で、文化政策人材・アートマネジメント人材に配慮した点も評価したい。旧振興基本法では「文化芸術の企画等を行う者」とだけ簡素に表記されていた。新基本法の第 16 条では「文化芸術活動に関する企画又は制作を行う者、文化芸術活動に関す

る技術者、文化施設の管理及び運営を行う者その他の文化芸術を担う者（以下「芸術家」という。）」として、より具体的に記述した。

　文化芸術が基本的人権であることを強く意識した条文がある。第2条の3では「文化芸術に関する施策の推進に当たっては、文化芸術を創造し、享受することが人々の生まれながらの権利であることに鑑み、国民がその年齢、障害の有無、経済的な状況、又は居住する地域にかかわらず等しく、文化芸術を鑑賞し、これに参加し、又はこれを創造することができるような環境の整備が図られなければならない」と述べた。「年齢、障害の有無、経済的な状況」の部分は旧振興基本法に加筆したものだ。

❸ 文化芸術推進をめぐる計画と会議

　第7条では文化芸術推進基本計画の必要性がうたわれ、「政府は（中略）文化芸術に関する施策に関する基本的な計画（以下「文化芸術推進基本計画」という。）を定めなければならない」と明記した。旧振興基本法では「基本的な方針」と表現していたものの、新基本法では「基本計画」とした。行政では方針より計画の方が一段と重みがあるとされる。そして「文部科学大臣は、文化芸術推進基本計画の案を作成しようとするときは、あらかじめ、関係行政機関の施策に係る事項について、第36条に規定する文化芸術推進会議において連絡調整を図るものとする」と記述して、同会議の新設を求めた。

　さらに第7条では「都道府県及び市町村の教育委員会は、文化芸術推進基本計画を参酌して、その地方の実情に即した文化芸術の推進に関する計画（次項及び第37条において「地方文化芸術推進基本計画」という。）を定めるよう努めるものとする」と求めた。同計画づくりが自治体の努力義務となったことで、基本法は中央政府だけでなく、自治体にも大きな影響を及ぼし始める。

　たとえば筆者が会長を務める静岡県島田市文化芸術推進協議会の事例を紹介しよう。2018 〜 2019年度の2年間、市民代表らと共に同市文化芸

術推進計画づくりに励んだ。部長級職員で構成する策定委員会と課長級職員の庁内ワーキングチームの顔ぶれが興味深い。2019年度の場合、策定委員会（委員長・副市長）は産業観光、市長戦略、地域生活、健康福祉、こども未来、都市基盤、行政経営、教育の各部長で構成された。ワーキングチームは戦略推進、広報情報、市民協働、福祉、子育て応援、観光、文化資源活用、都市政策、資産活用、学校教育、社会教育、図書館、博物館の各課長が出席を求められた。

　筆者はこれまで、複数自治体の文化振興条例や文化振興計画の策定委員会等に関わってきたが、島田市のメンバー構成は従来のものと明らかに異なる。新基本法を強く意識して庁内横断的な構成になった。他の自治体も同計画の策定を始める際には同様の全庁体制が求められるだろう。

　こうした「省庁横断」あるいは「総ぐるみ体制」を実現するために、新基本法第36条では文化芸術推進会議の設置を求めた。「政府は、文化芸術に関する施策の総合的、一体的かつ効果的な推進を図るため、文化芸術推進会議を設け、文部科学省及び内閣府、総務省、外務省、厚生労働省、農林水産省、経済産業省、国土交通省その他の関係行政機関相互の連絡調

表1　文化芸術推進会議のメンバー

文化芸術推進会議	同会議幹事会
内閣府知的財産戦略推進事務局長	内閣府知的財産戦略推進事務局企画官
総務省大臣官房審議官 （情報流通行政局担当）	総務省情報流通行政局情報通信作品振興課放送コンテンツ海外流通推進室長
外務省大臣官房国際文化交流審議官	外務省大臣官房文化交流・海外広報課長
文部科学省大臣官房総括審議官	文部科学省大臣官房政策課長
文化庁長官（議長）	文化庁長官官房政策課長
文化庁次長	文化庁長官官房企画調整官
厚生労働省子ども家庭局長	厚生労働省子ども家庭局子育て支援課長
厚生労働省社会・援護局障害保健福祉部長	厚生労働省社会・援護局障害保健福祉部企画課自立支援振興室長
農林水産省食料産業局長	農林水産省食料産業局食文化・市場開拓課長
経済産業省商務・サービス審議官	経済産業省商務・サービスグループクールジャパン政策課長
国土交通省総合政策局長	国土交通省総合政策局政策課長
観光庁次長	観光庁観光地域振興部観光資源課長
環境省大臣官房審議官	環境省自然環境局国立公園課長

（文化庁ホームページをもとに松本茂章作成）

整を行うものとする」と明記した。[注4)]

　さらに第 37 条では「都道府県及び市町村に、地方文化芸術推進基本計画その他の文化芸術の推進に関する重要事項を調査審議させるために、条例で定めるところにより、審議会その他の合議制の機関を置くことができる」とした。「文化芸術推進会議の設置について」（2017 年 11 月 10 日関係省庁申合せ）によると、同推進会議と幹事会のメンバーは表 1 の通り。

　新基本法に基づいて政府は「文化芸術推進基本計画－文化芸術の『多様な価値』を活かして、未来をつくる－（第 1 期）」を策定し、2018 年 3 月に閣議決定した。第 1 期計画は今後 5 年間（2018 〜 2022 年度）を見通して定められた。基本的な方向性として六つの戦略を掲げた。「文化芸術の創造・発展・継承と豊かな文化芸術教育の充実」「文化芸術に対する効果的な投資とイノベーションの実現」「国際文化交流・協力の推進と文化芸術を通じた相互理解・国家ブランディングへの貢献」「多様な価値観の形成と包摂的環境の推進による社会的価値の醸成」「多様で高い能力を有する専門的人材の確保・育成」「地域の連携・協働を推進するプラットフォームの形成」である。[注5)]

4 文化をめぐるパラダイムシフト

　新基本法制定の背景には日本社会の「今」がある。製造業に依存してきた日本経済だったが、機械組み立て産業等が人件費の安い海外の国や地域に移っていくならば、日本の産業は文化的付加価値をつけることを迫られる。「クール・ジャパン」などソフト産業の振興が急務となってきたわけである。さらにはインバウンド観光（訪日外国人による観光）を促進するためには文化資源の発掘が求められ、観光と文化振興が結びつく情勢になってきた。2020 年の東京五輪・パラリンピックを前にして文化プログラムの実施が求められたことも文化政策の重要性が高まった一因である。何より、地方創生を実現するためには、文化に関する東京一極集中を何とか改善しなくてはならない。21 世紀に入って文化政策を取り巻く環境は

激変しているのだ。

　文化政策がパラダイムシフト（構造転換）の時代を迎えた。たとえば文化国家を形作ることで、国際社会のなかで日本の存在感を高め、経済成長を促し、心豊かな生活を実現することなどが急務となってきた。地球が狭くなり、情報通信技術が進むなか、かつてのように政治力・経済力・軍事力だけで国の力を測ることができなくなり、文化というソフトの力が国家の盛衰を分けるとの見方が強くなってきたからだ。

　後世の日本人から「あの時点で日本は文化国家にかじを切って本当に良かった」と評価されるのか、依然として機械組み立て産業等に頼り続けて「あの時代に文化国家へかじを切れば良かったのに…」と後悔されるのか。大きな分岐点に立っていると思われる。

　上記の状況を踏まえて、政府は文化を経済戦略のカギとみており、内閣府と文化庁は2017年12月に「文化経済戦略」を定めた。[注6] 文化芸術に対して民間資金の投資拡大を重視した。文化芸術を起点とした創造的な活動のサイクルを回すことで、付加価値や需要が生まれ、持続可能な文化振興が可能になるとした。同戦略では「文化芸術を起点とした価値連鎖」と表現している。基本となる「六つの視点」には、①未来を志向した文化財の着実な継承とさらなる発展、②文化への投資が持続的になされる仕組みづくり、③文化経済活動を通じた地域の活性化、④双方向の国際展開を通じた日本のブランド価値の最大化、⑤文化経済活動を通じた社会包摂・多文化共生社会の実現、⑥2020年を契機とした次世代に誇れる文化レガシーの創出、などが挙げられた。

　地域からのボトムアップを期待する筆者としては、トップダウン的である姿勢にいくばくかの違和感を抱き、競争原理に基づいている点も気になるが、大きな流れとして文化と経済の接近が予測される。

　いずれにしても、文化芸術と地域をめぐる諸課題には強い関連性があることを多くの人々に知ってほしい。だからこそ文化政策の対象が拡大したことは、国家だけでなく、地域にとって、きわめて重要である。文化芸術

は少子高齢化に伴う過疎問題、コミュニティ衰退などの地域の多様な課題解決に貢献すると考えられるからだ。

　本書を『文化で地域をデザインする』と名付けた理由はここにある。永田町や霞が関などの東京からではなく、地域からどのような胎動が見られ、どんな取り組みが始まっているのか？　どのような未来を示唆しているのか？を知りたい。地面に足をつけた試みを報告したいと願い、本書を構成した。

　第 2 章以降は、各省庁の多様な管轄分野と政策に触れながら、全国各地で展開する具体的な事例を紹介していく。第 2 章では観光振興、第 3 章では産業振興、第 4 章では国際交流、第 5 章ではまちづくり、第 6 章では教育、第 7 章では福祉・医療、について取り上げ、それぞれの地域課題と文化芸術との関係について具体的に報告する。

注
1) 中川幾郎『分権時代の自治体文化政策　ハコモノづくりから総合政策評価に向けて』勁草書房、2001、iii 頁。
2) 河村建夫・伊藤信太郎編著『文化芸術基本法の成立と文化政策　新の文化芸術立国に向けて』水曜社、2018、86-87 頁。
3) 同書、89 頁。
4) 同書 117 頁によると、推進会議の構成機関について「文化芸術の振興を所管する文化庁のみならず、それぞれの関連分野を所管する文部科学省（文化芸術教育）及び内閣府、総務省（ICT の活用）、外務省（国際交流）、厚生労働省（福祉）、農林水産省（(食) 産業）、経済産業省（(伝統工芸) 産業）、国土交通省（まちづくり）等の関係省庁」と述べ、各省庁の役割分担を指摘した。
5) 詳しくは文化庁ホームページ。www.bunka.go.jp/seisaku/bunka_gyosei/hoshin/index.html（2019 年 8 月 11 日閲覧）
6) 詳しくは文化庁ホームページ。www.bunka.go.jp/koho_hodo_oshirase/hodohappyo/1399986.html（2019 年 8 月 11 日閲覧）

第2章
観光振興

2-1
美術館が仕掛けるインバウンド戦略
－六本木アートナイトを例に－

土屋隆英

1 国際観光の隆盛とアート

　世界の多くの人々が自国外への観光に出かける時代になった。国連世界観光機関（UNWTO）によると、世界の国際観光客数は2000年に6億7400万人だったが、2017年には13億2600万人に増加し、なかでも経済成長の著しいアジア・太平洋地域では、国際観光客到着数のシェアが24％、国際観光収入のシェアが29％となっている。アジアの国別では、中国の国際観光到着数は6070万人で、フランス、スペイン、米国に次ぐ4位、タイも3540万人で世界10位となっている（日本は2869万人）。

　日本社会においても、訪日外国人観光客、いわゆるインバウンド観光客の劇的な増加は、過去10年間に起こった大きな変化の一つであろう。2003年には年間520万人程度であったインバウンド観光客数は、2008年には800万人を超えた。それ以降は景気後退や東日本大震災の影響で700万人を切った年もあるが、おおむね800万人台を維持し、2013年には1000万人を突破、2016年には2400万人を超えて、2018年には約3100万人となった。[注1] 現在、政府は年間4000万人を2020年の目標としている。

　筆者は2018年秋まで、東京・六本木にある森美術館に勤務し、企画・国際部門に携わっていたが、森美術館の場合、近年の年間入場者のうち10〜20％程度は外国人で、その多くは訪日観光客だとみられる。

　美術を愛好する旅行客は一定の文化水準を保ち、所得も比較的高いと考

えられ、こうした余裕のある層をターゲットとして食事やショッピングなど購買意欲を刺激しようと各観光地は躍起になっている。先進諸外国ではかなり以前から「アート」や「文化」もこうした「刺激策」と見なされ、主要美術館でも政府や自治体と協調して、大規模な美術展や芸術祭を開催することで、国内外から観光客を集めようとしている。

　例えば、ニューヨークのメトロポリタン美術館では、年間735万人の来館者のうち、34％が外国人（2018年）であり、ロンドンのナショナル・ギャラリーでは、61％（2014年）、パリのルーヴル美術館では70％に達する（2014年）。[注2] どんな展覧会が開催されているかにかかわらず、ともかく行かねばならない名所として著名美術館・博物館は観光に欠くことのできない場所になっている。いわゆる「ビルバオ効果」として有名になったグッゲンハイム・ビルバオ（スペイン）のように、奇抜な建築で人々の耳目を集めるような動きも、国際観光客誘致を図ろうとする戦略である。

　アジア各国でも、自国の国際的なプレゼンスの向上や文化的アイデンティティの確立の観点から新しく美術館や博物館を設立するケースが目につく。特に現代美術の分野では「ビエンナーレ」や「トリエンナーレ」に加え、多数の商業ギャラリーが一堂に会する大規模なアートフェアが開催されるなど、文化的な活動を目的として各地を訪れる国際訪問客の動員を大いに視野に入れた活動が多く展開されている。

2 国際観光と美術館

中央省庁の動き

　こうした海外の状況を踏まえ、日本国内、特に中央省庁ではどのような動きが見られるだろうか。文化庁の2019年度予算案を見ると、多くの事業が「国際インバウンド観光」に直結していることが読み取れる。文化資源に付加価値を与えて魅力あるコンテンツづくりや「国家ブランディング」につなげること、また、こうした活動の拠点形成、国際発信などに重点が置かれている。例えば、2020年度に開催が予定されている「日本博」は、「日

本の美」を体現するものとして文化庁と関連省庁、自治体、文化施設の「総力を結集した史上初の大型国家プロジェクト」とされ、「観光インバウンドの飛躍的・持続的拡充を図る」と謳われている。

　後述する六本木アートナイトの場合、文化庁は 2011 年度から補助金事業を通して助成を続けており、2018 年度からスタートした「国際文化芸術発信拠点形成事業」の一つとして採択、2018 年度に 8000 万円、翌 2019 年度に 1 億円余りの補助金を拠出した。同事業は、「地域の文化芸術の力を活用した国際発信力のある拠点の形成」により、東京五輪とその後を見据えた発信を行い、訪日外国人の増加や地域活性化を目指している。2018 年度から最長 5 年間の継続支援が可能で、2020 年の中間評価を経て、五輪後の「レガシー」効果まで視野に入っている。

　第 2 回から六本木アートナイトを後援する観光庁は、2016 年に「明日の日本を支える観光ビジョン」を策定し、2018 年 3 月には「『楽しい国日本』の実現に向けて」と題する提言をまとめた。2018 年の「提言」では、「日本の観光における体験型コンテンツの重要性」を訴え、富士山、桜、寺社を中心としたイメージが強く、「多様な体験を行いうる『楽しい国』であるという認知度は低い」とした。今後取り組むべき事項として、マーケティング、体験型コンテンツと価格設定、流通と広告、人材の確保・育成と雇用、経営基盤の確立などを挙げ、コンテンツ内容、その対象者、提供の方法について努力を促している。さらに具体的なアクションとして、コンテンツの「定番化」、新たなコンテンツの「掘り起こし」、また、それらを支える「しくみづくり」についても言及している。

日本各地の動き

　日本国内の美術館でも、訪日外国人の来館を意識した動きが見られ始めた。地元紙などによると、例えば、松本市美術館の草間彌生展（2018 年）では、草間が松本出身の国際的な著名作家であることから、開幕から 1 ヶ月半ほどの間に台湾やイスラエルなどからの外国人来館者が 2200 人

を超えたという。松本市では3点の草間作品を約5億2200万円で購入し、2019年にも他の作品とともに特集展示を行うなど、草間彌生を館の目玉に育てつつあるようだ。また、東京国立博物館では、2018年度に99万人を数えた所蔵品展の鑑賞者数が5年前と比較して倍増したが、その背景には同館来館者の3、4割を占める訪日観光客の存在があるという。国立美術館、博物館では、数年前から4言語（日英中韓）による解説パネルを増やしており、こうした動きも訪日外国人の来館を促す好循環を創り出している。

　このように国際観光客を意識した動きが活発化するなか、先駆的なアートイベントの例として挙げられるのが、2009年から始まった「六本木アートナイト」だろう。夜通し行われるパリのアートイベント「ニュイ・ブランシュ」を参考に始められたが、当時、東京オリンピック・パラリンピックの誘致も意識されていたため、当初から国際的な視野のなかで企画された。筆者は第1回の立ち上げから4年間、実行委員会の一員としてこのアートイベントに携わった。本稿では六本木アートナイト発足の経緯に触れつつ、アートと国際観光との関連について考える材料を提供してみたい。

3 六本木アートナイトの取り組み

六本木という街と六本木アートナイトの誕生

　六本木アートナイトの舞台である六本木（東京都港区）とはどのような地域だろうか。港区は数多くの事業所、教育機関、マスメディアが立地し、とりわけ、国内の在外公館の過半数である80ヶ国以上の大使館が集中する国際的な区である。文化芸術面では、六本木には1950年代から俳優座劇場やテレビ朝日があり、1980年代から1990年代末には六本木WAVE（映画館を併設したオーディオ・ビジュアルソフトの店舗）なども営業していて、独特の先端的文化を発信していた。

　大きな転機は、2003年に「文化都心」を標榜する六本木ヒルズが開業し、森美術館や東京シティビュー（展望台）、シネマコンプレックスなどの文

化施設が一斉に誕生したことである。さらに2007年には、東京ミッドタウンが開業し、サントリー美術館が移転開館したほか、三宅一生デザイン文化財団が運営する21_21 DESIGN SIGHTなどもオープンした。続いて同年、国立新美術館が開館すると、六本木はわずか数年の間に複数の美術館やギャラリーが軒を連ねる文化地区となった。

　美術館やギャラリーの集積地域となって、六本木は歓楽街のイメージから、昼間に美術展に出かける「美術鑑賞の街、アートの街」というもう一つの顔を持つに至った。2007年には、国立新美術館、サントリー美術館、森美術館の3館で「六本木アート・トライアングル」(あとろ)が発足し、連携を目指すこととなった。今では信じられないことだが、2005年頃、筆者が担当したアメリカの美術館の名品展で「これは本物ですか」と尋ねる来館者もいたほど、当初は「東京で美術館と言えば、ましてや名画と言えば上野」のイメージがまだ強かったのである。森美術館の南條史生館長は、「あとろ」の発足当時「いずれは他の美術館と共同でアートイベントを企画したい」と語っていたが、それが現実のものとなったのが六本木アートナイトであった。

六本木アートナイトの主催組織とプログラム

　六本木アートナイトは、六本木の街を舞台に、生活のなかでアートを楽しむライフスタイルの提案と、東京におけるまちづくりの先駆的なモデル創出を目的として始められた一夜限りのイベントで、2009年3月に第1回が行われた。主催者は東京都、財団法人東京都歴史文化財団、六本木アートナイト実行委員会の3者で、実行委員会には国立新美術館、サントリー美術館、東京ミッドタウン、森美術館、森ビル、六本木商店街振興組合が名を連ねた。第2回(2010年3月開催)には21_21 DESIGN SIGHTが実行委員会に加入し、2016年には港区が主催者に加わった。また、それに並行して、アーツカウンシル東京が発足して、東京都歴史文化財団と併記されるようになるなど、主催者などの変遷だけを見ても短い年月の間に

フェスティバルとして厚みを増していった。

　発足から第10回までの歩みをたどっておこう。初回（2009年）は、メインアーティストにヤノベケンジを迎え、火を噴く《ジャイアント・トらやん》が話題を集めた（写真1）。延べ鑑賞者数は約55万人、プログラム数は28であった。第2回（2010年）で延べ鑑賞者数は約70万人、プログラム数は49件とそれぞれ増加し、その後は第10回（2019年）まで延べ鑑賞者数は約70万人から80万人程度で推移し、プログラム数も年により増減はあるものの、平均すると1回あたり約80件から90件提供されている。これまでメインアーティストとなった作家は、ヤノベケンジ、椿昇、草間彌生、アンテナ、日比野克彦、西尾美也、齋藤精一、蜷川実花、名和晃平、金氏徹平、鬼頭健吾、宇治野宗輝、チェ・ジョンファらである。第10回のチェは初めての外国人メインアーティストであった。

　プログラム構成は、大きく二つに分かれる。一つは、イベントのシンボルとして六本木地域全体に広がる「広域プログラム」で、東京都歴史文化財団や文化庁などからの助成金が主に充当される。もう一つは、主催者それぞれの施設やエリア（美術館、商店街、六本木ヒルズなど）ごとに同時開催される独自プログラムで、こちらは各団体・機関・企業の費用負担で

写真1　ヤノベケンジ《ジャイアント・トらやん》を大勢の来場者が取り囲んだ
（六本木ヒルズアリーナ、2009年）　提供：六本木アートナイト実行委員会

実施される。各美術館では、トークやワークショップ、パフォーマンスなどのプログラムを企画、実施しながら、開館時間延長（森美術館は翌朝まで開館）や、割引を行うなどのサービスを提供している。

　予算規模については、発足時の 2008 年度の数字となるが、東京都の資料によると、全体予算が約 1 億円、都の「東京文化発信プロジェクト」（当時）の負担金額がその約半分の 5000 万円となっている。[注3] 残りの半分は実行委員会を構成する企業や団体（美術館、商店街組合など）の拠出である。各館におけるプログラムの費用などを含めた六本木アートナイトの全体予算は公表されていないが、発足時と比較して、現在は実行委員会の構成団体・機関が増えていることや、前述の文化庁補助金や協賛金収入などがあることを勘案すると、総事業予算は数億円規模になると推測される。

誕生の背景

　六本木アートナイト誕生の背景を振り返ってみよう。2007 年、東京は 2016 年のオリンピック・パラリンピック招致活動の過程にあった（その後、2020 年開催分に再び立候補して招致に成功）。この頃に開催された第 1 回東京芸術文化評議会[注4] では、「オリ・パラ」がスポーツのみならず、開催後も受け継がれる文化の祭典にもなるよう「オリンピック文化プログラム」が議題に上った。議事要旨によると、評議員の安藤忠雄氏（建築家）は、ミラノの「サローネ」や「ヴェニス・ビエンナーレ」などを例に挙げながら六本木の文化施設集積に触れて、世界への文化発信の必要性を訴えた。また、同様に評議員を務める森佳子氏（森美術館理事長）も「（筆者注：地域活性化を視野に入れ、国や地方自治体が美術館を積極的に補助したり、運営費を負担したりする欧米の先進的な美術館と比較すると）日本はまだ（民間の支援に対する）税制の優遇も、（公的な）経済的援助も、プロモーションも足りない」と述べて、公的支援の充実や地域住民へのエンゲージメントを意識し、地域で面的に広がる文化事業の必要性を強調している。こうして東京五輪招致とも関わり合いながら、当時パリのニュイ・ブランシュ

の提案を受けた森美術館の南條館長が、前述の「あとろ」を核としてこれを推進し六本木アートナイトを提案、2008年度開催が決定された。

六本木アートナイトを訪れる人々

　発足当時を振り返ると、関係者の心中は穏やかではなかったはずである。モデルとしたパリや欧米の他都市で成功を収めても、日本で、大晦日でもないのに夜通しで、しかも現代アートのイベントに人が集まるだろうか。また、パリのように毎年、地下鉄沿線で市内の広範囲に展開する手法と異なり、会場は六本木という繁華街の「局地」である。酔客があふれてトラブルが多発しないか。また、夜間の近隣住民、特に未成年への安心・安全への配慮は。翌朝の始発電車までに帰宅したい人への対処は…。全国、さらには海外からも来場者を期待する国際的なイベントをとの期待もありながら、準備中は様々な思いが交錯した。

　ふたを開けてみると懸念の多くは杞憂に終わった。初回の開催は2009年3月最後の週末、土曜日の午前10時から翌日（日曜日）の午後6時までで、特に土曜日の日没から翌朝の日の出までを「コアタイム」としていたが、土曜日の午後5時頃になると若者を中心に人が集まり始め、夜中も大きなトラブルは一切発生しなかったのである。このことは関係者を安堵させるに十分であったが、改めて、若者や成熟した大人を対象とした現代アート中心のイベントが、東京のような大都市を舞台とすれば夜間（ナイト・タイム）という新たな時間帯に成立し得ること、それが渇望されていたことが実証された。しかも、「アート」というフィルターにかけられたことで、「都市」と「ナイトライフ」とを背景に、純粋にアートへの目的意識の高い来場者が集まった。

　2日間にわたる開催期間中、昼から夜へと時間の経過に沿って、若者や子ども、ファミリー、遠方からの観光客など多様な人々が訪れた。このことは、六本木が既に備えていた「都市型」「夜型（ナイトタイム）」という条件に、桜の咲く「行楽の季節」と「アート」という新たな要素が加えら

れ、地域に「新たな魅力」が創出されたことを示している。そして、その「新たな魅力」こそが、六本木アートナイトの「観光イベント化」を促しつつあるのだと言えるだろう（現在の開催時期は5月となっている）。

「アートナイトは単純に言えば、一晩限りのアートのお祭りである。展覧会というと難しく聞こえるが、それより『祭り』に近い。そう考えると、これは東京で開催される唯一の『地域芸術祭』とも位置づけられるだろう」[注5]と述べる南條史生実行委員長は、住民や市民が皆で楽しむコミュニティ・イベントとして適していること、それが観光資源となって地域内外からの集客で地方経済活性化につながることなどを近年の芸術祭隆盛の背景に挙げる。「六本木アートナイト＝祭り」が、世界的観光イベントへの成長の「カギ」の一つなのかもしれない。

六本木アートナイトと「ライト」な来場者

六本木アートナイトへの来場者、とりわけ国際訪日観光客とはどのような人々だろうか。全体の参加者数の傾向は先述の通りだが、開催2日間の計測であり、複数の会場を訪れた場合もカウントする「延べ鑑賞者数」であるとしても、10万人単位の来場者が毎年心待ちにするような力を持つイベントとして定着した感がある。六本木アートナイトでは、過去に事業評価報告書が2回発行されているが（2016年、2018年）、これらにおいても、国際観光の側面を窺うための外国人参加者の人数概算や比率については記載がない。しかしながら、「六本木アートナイト愛好者」の分析として、アート愛好者でなくとも夜間活動を楽しむ層や、エンターテインメント性が高いことから地域のイベントとして楽しむ「ライト層」の存在が指摘されている。[注6]また、開催が回を重ね年月が経っても、初めての来場者が例年4割近くと高い傾向にあることから、国内外から新規で流入する訪問者が来場者のうち一定数を占めていることが推測される。こうした層の人々の存在は、観光資源としての六本木アートナイトが、その背後に潜在的な来場者を豊かに抱えていることを示していると考えられる。

4 六本木アートナイトと国際観光

国際集客への諸施策

　六本木アートナイトを国際観光振興の観点から観察してみよう。文化施設の連携や地域の活性化のほか、「オリ・パラ」を控えた国際的な文化イベントとして国内外の人々の交流を促し、集客を図ることをねらいとして、どのような施策が取られているのだろうか。

　アートイベントとしてプログラム内容が魅力的であることは不可欠である。観光庁がまとめた「『楽しい国日本』の実現に向けて（提言）施策集」[注7] でも、「グローバルスタンダードであるが日本にない／できていない」ものの充実が挙げられ、公共空間の活用や地域の安全、コンテンツの発掘などが例示されているが、六本木アートナイトにおいても、観光客を集客の対象とするなら、イベント自体が過去になく新しく創り出されたものとして魅力のある「定番」になる必要がある。先述の通り、六本木アートナイトを東京の「地域芸術祭」になぞらえる実行委員長の南條氏は、「アートのお祭りなので、アートを見るだけでなく、食べて、飲んで、六本木を楽しもうという観客には、東京に来る大変良い機会を生み出している。一方で、アート作品を真剣に鑑賞しようという展覧会としての期待のある観客には、物足りなさもあるだろう。どの辺でバランスを取るかは難しいところだ」と述べ、観光目的になり得る「恒例行事」として定着する一方で、アートの祭りとして硬軟が共存する新鮮なプログラムを提供し続けることの困難さも指摘している。

　報道関係者への情報提供（プレスリリース）は、常に日本語・英語の2言語で行われている。また、地域の外国人居住者や訪日観光客の増加を踏まえ、街歩きの手がかりとなるガイドブック、ウェブサイトやツイッター、フェイスブック、インスタグラムなどにおいても、日英2言語による情報発信に努めた（日英に加えて他の言語が追加された年もある）。ウェブサイトには、過年度開催分のサイトへのリンクや、ガイドブックや事業報

告書も付されており、各年のアーカイブ機能も果たしている。

　広報活動は日本国内に留まらない。南條実行委員長は、「初期段階では、アジア（香港、台北）のアートフェアの会場で数回のプレス発表会を行った。アート関係に加え、観光、ライフスタイル系のメディアを誘致して、どのようなイベントなのかを説明した。また予算が付いた際には、アジアから10人程度のジャーナリストを東京に招待して、実際に見てもらったこともある」と国際広報への取り組みを振り返る。

　開催中は、東京メトロ六本木駅上のビル内にインフォメーションセンターを設けて、来場者に情報提供を行ったり、街頭でスタッフがガイドブックを配布したりしている。作品のキャプションも日英2言語で対応している。2019年は「外国語ガイドレクチャー：Speakeasy at Roppongi Art Night 2019」を開催し、英語によるガイドツアーを行うとともに、特設コーナーに英語、中国語、韓国語スタッフが常駐し、楽しみ方を案内した（写真2）。

　交通対策については、東京都が主催者の一員でもあり、都営地下鉄（大江戸線）の終電の延長や、都バスによる六本木と主要ターミナルを結ぶ路線の特設が考案された。都営地下鉄の特別営業は初年度のみ行われ、継続されなかったものの、都バスの方は路線が増え、2019年度は六本木と渋谷、新宿、池袋、吉祥寺などのターミナルを結び、運賃は無料とさ

写真2　外国人を対象としたツアーも行われている
（六本木ヒルズ、2018年）　提供：六本木アートナイト実行委員会

れている。

　安心・安全については、夜間の繁華街での開催であることから、主催者、参加作家、施設管理者などが企画・制作の過程で課題を洗い出し、当日は監視員や警備員を十分に配置して不安を解消している。また、「東京都青少年の健全な育成に関する条例」により、18歳未満の来場者に深夜（午後11時から翌午前4時まで）入場ができない旨、ウェブサイトやガイドブックなどで注意を喚起している。

国際観光イベント化への展望と課題

　六本木アートナイトは、先述の通り、街の歴史や特性、また、「オリ・パラ」招致を背景に、当初から国際的イベントとなることが企図されていた。実際、第1回においては、「後援」に各国の大使館が名を連ね、「協力」にもブリティッシュ・カウンシルなど、外国の文化機関がクレジットされている。これは国外作家にも目を向けた作品選定、プログラム立案の反映でもある。こうした各国の文化機関とは常に一定の協働関係にあり、南條氏によれば、海外での認識が高まったために、特定の数ヶ国はいつも資金援助をしてくれるところが出てきているという。

　六本木アートナイト（2014年）を体験した香港出身の羅玉梅氏（森美術館インターン［当時］）は「六本木アートナイトは、外国人観光客にも魅力的だ。桜の季節の開催は、観光客が東京を訪れる時期とも重なる。美術館に加え、都市の風景とそこに立ち現れるアートに触れられるイベントになっている。東京の高円寺から来た阿波おどりや、韓国の打楽器演奏が印象深かった」と述べ、東京観光とプログラムの多様性を評価している。

　実行委員長の南條氏は「先日アジアの人に、今、日本はアジアにおいてイタリアのような国だと思われていると言われた。まさに東京はアートや食があり、ファッション、デザインも良質という魅力的な街。日本は文化とアートのクリエイティブなイメージでアジアの国々の先を行くことが必要だ。観光はパブリック・ディプロマシーといわれる外交戦略の概念にも

つながっていると思う」と述べ、外交も見据えた日本の文化事業の在り方に言及する。このことは、美術館における大規模な国際巡回展や文化財の相互交流展が当該国間の安定的かつ友好的な関係があればこそ実現可能であることを思えば、国際観光という生身の人間の行き交う活動においても自然なことであろう。

　六本木アートナイトは、もとより観光振興のみを目的として始められたフェスティバルではない。南條氏も「大都市東京での開催ということで、観光収入が六本木に落ちることを期待しているわけでもないが、東京という街が、勢いを増すアジア諸国の中で、やはり創造力と活気に満ちていて、来てみると楽しい街ですよというメッセージを発することは重要だろう」と指摘する。それでも、六本木アートナイトの今後を展望するとき、国立や私立（企業立）の美術館のみの連合体による主催ではなく、都や地元の商店街なども一体となった在り方は、様々なセクターの連携と横断的な政策動員により成り立っており、観光のみならず地域づくりにもつながる多面的・多層的なイベントだと言える。

　東京や日本全体がグローバル化し、とりわけ国際観光において主要なデスティネーションになれば、アートナイトを取り巻く環境もさらに国際的なものになると予想される。発足から10年を超える蓄積を経て、2020年の東京オリンピック・パラリンピック、さらには2025年の大阪・関西万博の開催が予定される今、国際社会からの注目がますます日本に集まることは間違いない。こうした環境を背景に、今後取り組むべき課題としては、①多言語による情報提供や案内（ホスピタリティ）、国内外への広報、②肝心の「中身」であるプログラム内容が新鮮で充実したものであること、③プログラム内容を支える国際・外交機関などのステークホルダーからの財政面・広報面からの関与と支援の拡大、④訪れたい人が確実に旅程に組み込めるよう「定番化」を推進すること、そして、⑤文化財の適切な管理と保存を通して、新たな観光資源の発掘を進めることなどが挙げられる。⑤においては、国際観光客という「外からの眼」を意識することによって「内

にある価値」の再発見やその保全に光が当てられ、それが来訪者の関心と評価を得るという好循環をつくりだして、観光と美術との接点が生み出されることになるが、これは今後、念頭におくべき重要な視点であろう。

先に触れた「六本木アートナイト＝地域芸術祭」という観点から言えば、大都市の局地的な場所の、しかも瞬間的なアートフェスティバルであるという与件ゆえに、提供する側も受け手側も、プログラムのあり方にかなり濃厚で密度の高い体験を求めることになる。週末の土日にまたがる一夜に行われ、月曜日の朝には跡形もなくなるこのイベントは、文字通り「一夜の夢か幻」のようだ。筆者も開催時の高揚感と喧騒と、閉幕後の静寂とのギャップに幾度も不思議な気分になったものである。その特別感こそが、他のイベントやフェスティバルとの差異を際立たせている。

南條実行委員長は、より多くの海外アーティストが参加し、それが広報を通して国際的に情報提供され、外国人が自国の作家の作品に関心を寄せることで、「六本木アートナイトは、例えばヴェニス・ビエンナーレのような本格的なアートフェスティバルになる可能性があるのかもしれない」と語る。[注8] 現代社会の様々な課題や事象を映し出す現代美術を中心に据えるフェスティバルであるからこそ、国を越えた普遍的な共感が生まれ、興味も喚起されるに違いない。将来、「六本木アートナイト」が日本を代表する都市型アートフェスティバルとして、国内外の人々の交流が促され、生活のなかに創造性が育まれることにつながることを願っている。

注
1) 日本政府観光局（2019）「2019 年訪日外客数」https://www.jnto.go.jp/jpn/statistics/since2003_visitor_arrivals.pdf
2) The Metropolitan Museum of Art（2018）"Met Museum Sets New Attendance Record with More Than 7.35 Million Visitors"（報道発表資料、2018 年 7 月 5 日付）https://www.metmuseum.org/press/news/2018/met-museum-sets-new-attendance-record
   The New York Times（2015）"Foreign Visitors Flock to London's Museums"（2015 年 4 月 1 日付）https://www.nytimes.com/2015/04/02/arts/international/foreign-visitors-flock-to-londons-museums.html
3) 東京都生活文化局「第 8 回東京芸術文化評議会　資料 7-1：国内外の文化事業例」（2010 年 4 月 9 日）http://www.seikatubunka.metro.tokyo.jp/bunka/bunka_seisaku/files/000

0000206/220409siryou7-1.pdf

4) 東京都生活文化局（2007）「第1回東京芸術文化評議会　議事要旨」（2007年3月13日）
http://www.seikatubunka.metro.tokyo.jp/bunka/bunka_seisaku/files/0000000196
/190313giji.pdf

5) 筆者より南條史生氏への電子メールによるインタビュー（2019年5月8日）

6) 六本木アートナイト実行委員会「六本木アートナイト事業評価検討会2016報告書」p.42

7) 「楽しい国 日本」の実現に向けた観光資源活性化に関する検討会議（2018）「提言本文」「提言概要」「施策集」（2018年4月2日）https://www.mlit.go.jp/kankocho/tanoshiikuni-kento.html

8) 南條史生、前掲資料

※本稿の執筆にあたり、「六本木アートナイト」実行委員長の南條史生氏（森美術館館長）、前事務局長の高橋信也氏（森美術館顧問、京都市京セラ美術館リニューアル準備室ゼネラルマネジャー）、羅玉梅氏（Ms.Yukmui Law、香港）にご助言、ご協力を賜りました。この場を借りて厚く御礼申し上げます。（肩書は本稿執筆当時）

2-2
持続可能な自然体験観光
－エコツーリズムの取り組み－

西村仁志・松本茂章

1 自然＝文化なき地？

　本稿で取り上げるのは「エコツーリズム」である。この営みやしくみは主に豊かな自然のあるところが舞台となって展開されてきたが、こうした場所や地域は「大自然」「辺境」「片田舎」さらには「文化果つるところ」とまで呼ばれてきた。このように「文化がない」とされるところで「文化で地域をデザインする」ことはできるのだろうか。

　例えば極北の地でも野生動物の繁殖行動や季節移動が毎年繰り返されているが、これらを文化とは呼ばない。当然のことながら人間の生活や活動のないところに文化はない。しかし動物たちを追って、古来より狩猟採集生活をしてきた先住民たちの営みは、伝統的な「生活文化」である。

　別の例としてアメリカ・カリフォルニアのヨセミテ国立公園の例を挙げよう。氷河の作用により数万年をかけて形成された大峡谷があり、高低差1000m にもおよぶ巨岩が林立している。このうち最も大きな「エル・キャピタン」という花崗岩の一枚岩の岩壁は 1958 年に 47 日間もかけて初めて登攀された。以来 60 年余り、この岩では単独行やフリークライミング、スピードクライミングなど新たな挑戦の歴史が次々と刻まれた。こうしてこの岩は「世界中のロッククライマーの憧れ」となっている。登攀という「行為」だけでなく、クライマーたちの道具、ファッション、ライフスタイルなども含んだ「クライミング文化」のルーツである。「一つの岩」からどのように文化が生まれ、いかに育まれてきたのかという実例だ。

　中米の小国コスタリカは「エコツーリズム」発祥の地といわれている。同じ中米のグアテマラ、ホンジュラス、エルサルバドルには古代マヤ文明の遺跡や先住民の生活文化があったが、コスタリカはこのような文化資源

に恵まれなかったがために、「自然」を観光資源として磨いてきた。1980年代以降、主に欧米圏からの自然愛好家たちが、深い熱帯雨林や美しい海岸とそこに生息する生物たちを観るため訪れるようになり、観光業は飛躍的な成長を遂げた。「エコツーリズム」という営みとしくみづくりを通じて、文化のないところから文化を創造してきたのである。

２ 「エコツーリズム」とは何か

　海外旅行は、かつては長い休暇がとれる一部の富裕層のもので、一般庶民には手の出るものではなかった。しかし第二次大戦後の経済力向上や1970年代のジャンボジェットの登場、そしてパッケージ旅行が普及するなど、先進国から海外旅行の大衆化が始まった。観光産業は現在も全世界的に拡大傾向を見せている。国連世界観光機関（UNWTO）の「世界観光統計」の海外旅行者総数（到着ベース、1泊以上の旅行者）によると、1950年に約2530万人だった世界の観光客数は、2018年に14億人に達した。こうした旅行の大衆化は「マスツーリズム」と呼ばれる。

　マスツーリズムは旅行の楽しみが庶民にまで浸透し、一般化することである。歓迎すべきものだが、一方で「オーバーツーリズム」と呼ばれる利用過剰が生じる。自然・人文的な観光資源の摩耗と破壊、旅行者と訪問地の間の経済格差、生活習慣の相違から生まれるトラブルと悪影響など、その弊害は1980年代から指摘されてきた。このような反省から、環境保全と観光開発の対立を克服する手段として、「エコツーリズム」が注目を集めるようになったのである。

　エコツーリズムについては様々な定義があるが、国際エコツーリズム協会では「自然環境を保全し、地元の人々の幸福を維持し、そして解説活動と教育をともなう、自然地域での責任ある旅行」[注1]と定義している。またエコツーリズム研究を専門とする敷田は「自然環境への負荷を最小限にしながらそれを体験・学習し、目的地である地域に対して何らかの利益や貢献のあるツアーをつくり出し、実践するしくみや考え方」[注2]と定義し

ており、地域の自然・文化資源の保護・保全と地域固有の資源を生かした観光の推進、地域経済の活性化をめざす地域づくりの取り組みだといえる。

　国際社会においてエコツーリズムの議論が始まったのは自然保護の領域からであった。1982 年には国際自然保護連合（IUCN）が開催した「第3回世界国立公園・保護地域会議」において「自然保護の資金調達方法として有効」として取り上げられた。続いて旅行業側との対話が行われ、1985 年には UNWTO と国連環境計画（UNEP）の「観光と環境に関する共同宣言」において「環境の保護と改善は観光と調和のとれた開発にとっての基本的条件である」と言及されている。1992 年にブラジル・リオデジャネイロで行われた地球サミットでは持続可能性が大きなテーマとなり「生物多様性条約」が提起された。自然環境は観光産業の商品とサービスを提供する一方、観光産業が盛んになると自然環境を脅かす恐れが生じる。しかし観光産業を持続可能なものに転換できれば地元に雇用と所得を生み出すので、自然保全に対する強いインセンティブを提供できるようになる。本条約の第7回会議では、これら複合した問題の解決を両立させるべく「生物多様性とツーリズム開発に関するガイドライン」が採択されたのである。

3 日本におけるエコツーリズムの展開

　日本においても、1980 年代から北海道や島嶼部において、ガイドが自然サイトを案内するツアー（エコツアー）が行われてきた。これらはエコツーリズムの先駆的な取り組みといえる。1989 年には「小笠原ホエールウォッチング協会」が発足し、ホエールウォッチングにおける自主規制ルールが制定された。

　1990 年、環境庁（当時）が「沖縄におけるエコツーリズム等の観光利用推進方策検討調査」を実施する。これが日本におけるエコツーリズムの政策化のはじまりである。1992 年には日本が世界遺産条約に加盟し、翌1993 年には白神山地（秋田県・青森県）ならびに屋久島（鹿児島県）が世界自然遺産に登録された。両地域において、来訪者受け入れのための態

勢の充実が求められ、自然環境の調査、利用ルールの策定、施設整備やガイドの養成などが取り組まれるようになる。

　2003 年に当時の小泉内閣は観光を「21 世紀のリーディング産業」と位置づけ、「観光立国宣言」を行った。関連して環境大臣を議長とし、有識者と関係府省（内閣府、総務、国土交通、農林水産、文部科学）で構成する「エコツーリズム推進会議」を開催。「エコツーリズムの理解を広める」「エコツーリズムに積極的に取り組む地域を拡充する」「エコツーリズム推進事業者を拡大する」「エコツアー需要を拡大する」ことを基本目標に推進方策を決定した。そしてエコツーリズムの理念を共有するための「エコツーリズム憲章」の策定、各地の優れた取り組みを表彰する「エコツーリズム大賞」の開催、実践例を集めた「エコツーリズム総覧」の作成、「エコツーリズム推進モデル地域（全国 13 地区）」の指定、新規に取り組みをスタートさせる際の手引きとなる「エコツーリズムマニュアル」の制作などを行った。

　2007 年には「エコツーリズム推進法」が超党派の議員立法により提出され、全会一致で可決成立し、2008 年 4 月 1 日から施行された。エコツーリズムが国の法律に規定された例は世界初である。同法においてエコツーリズムは「観光旅行者が、自然観光資源について知識を有する者から案内又は助言を受け、当該自然観光資源の保護に配慮しつつ当該自然観光資源と触れ合い、これに関する知識及び理解を深めるための活動をいう。」と規定され、基本理念として「自然環境の保全」「観光振興」「地域振興」「環境教育の場としての活用」が掲げられている。また同法では

①政府は、エコツーリズム推進のための基本方針を作成。

②取り組もうとする地域（市町村）では協議会を結成し、「エコツーリズム全体構想」を作成。申請に基づき、上記の基本方針に適合するものを環境大臣が認定。

③政府は、全体構想の認定を受けた市町村に対して、広報に努めるなど、地域のエコツーリズム実現に関する施策を推進。

とされている。全体構想が認定された地区はこれまで 15 地区（2019 年 3

表1　エコツーリズム推進法で全体構想が認定された地区・団体一覧

地域名	認定団体名	認定年月日
埼玉県飯能市	飯能市エコツーリズム推進協議会	2009.9.8
沖縄県慶良間地域	渡嘉敷村エコツーリズム推進協議会・座間味村エコツーリズム推進協議会	2012.6.27
群馬県みなかみ町	谷川岳エコツーリズム推進協議会	2012.6.29
三重県鳥羽市	鳥羽市エコツーリズム推進協議会	2014.3.13
三重県名張市	名張市エコツーリズム推進協議会	2014.7.9
京都府南丹市	南丹市美山エコツーリズム推進協議会	2014.12.21
東京都小笠原村	小笠原エコツーリズム推進協議会	2016.1.28
北海道弟子屈町	てしかがえこまち推進協議会	2016.11.15
富山県上市町	上市まちのわ推進協議会	2017.2.7
愛媛県西条市・久万高原町	愛媛石鎚山系エコツーリズム推進協議会	2017.2.7
宮崎県串間市	串間エコツーリズム推進協議会	2017.2.7
鹿児島県奄美群島地域	奄美群島エコツーリズム推進協議会	2017.2.7
東京都檜原村	檜原村エコツーリズム推進協議会	2018.4.6
岐阜県下呂市	下呂市エコツーリズム推進協議会	2018.4.6
群馬県前橋市	赤城山エコツーリズム推進協議会	2018.9.10

（環境省資料をもとに西村仁志作成［2019年3月作成］）

月現在）に上っている（表1）。2003年以降、国を挙げてのエコツーリズム推進体制が整い、その後も推進が図られてきた。

4　地元が主導するツーリズム

　エコツーリズムは自然保護関係者からの発案で始まるものである。次いで観光業関係者のニーズとの対話のなかで概念形成がされてきた。地域住民の生活の充実や幸福については当然そのなかに含まれているものの、1990年代のエコツーリズム研究においては「当該地域に関しては『貢献』『支援』する対象ととらえられており、主体性への関心はほとんどみられない」（菊池、1999）と指摘した論考もみられた。地域住民自身によってエコツーリズムが志向されたり、主体的な取り組みが議論や実践に組み込まれたりするようになったのは、観光立国宣言の2003年以降である。当時「地域おこし」「地域再生」などの政策課題も浮上した。自然環境の保全と地域の活性化などの複合した課題に対して、エコツーリズムは地域の多様なステイクホルダーの参加によって取り組むことができる手法として注目されるようになった。

海外では「大自然」や「原生自然」といった大規模で圧倒的な自然景観や生物生態がエコツーリズムの舞台となっていた。ところが日本では農林水産業関係者などの地域住民によって維持されてきた里山、里海など人間と自然が相互に関わってきた営み（二次的自然）が魅力である。そのため自然環境の保全は持続可能な自然資源の利用形態や社会システムを含んで検討、実施される必要があり、地域住民の参加はきわめて重要である。すなわちエコツーリズムのしくみづくりは観光業関係者だけにとどまらず、農家・漁師・猟師・林業者など多様な地元住民の参加が必須だ。

　エコツーリズムには「ネイチャーガイド（インタープリター）」という新しい職種・雇用が生まれてきた。来訪者を自然サイトに案内し、解説や体験活動などを通じて、自然の素晴らしさや価値を伝える仕事である。農林水産業の従事者が「ネイチャーガイド」という仕事を得るようになったり、他地区からこの自然に魅せられた若い世代が移住したりする事態も起きている。

　エコツーリズムを進めるうえで地域資源調査は欠かせない。この調査を住民自身によって行う手法として「地元学」[注3]や「フェノロジーカレンダー」[注4]などがある。これらはいずれも住民自身が、地元の自然資源と生活文化資源の素晴らしさを再発見、再評価する営みであり、近年、日本各地で取り組まれるようになった。自然保護関係者や観光業の関係者だけではなく、一般の地域住民も調査に関わることで、地元資源の価値を認識することができる。こうしたプロセスを共有することも、持続可能なエコツーリズムには重要だ。

5 インタープリテーション

　エコツーリズムにおいては、自然資源・文化資源と来訪者の間を「つなぐ」機能が大変重要である。体験や学習の提供を通じて自然環境や文化遺産の価値を守り伝え、さらにはその保存や管理に関する情報や知識をも広く来訪者に伝えるという役割だ。これらの活動はインタープリテーション

（Interpretation）と呼ばれ、「環境保全地域や公園、博物館など、社会教育の場における持続可能な社会づくりのための教育的コミュニケーション」であり、「参加者の興味や関心を引き出しながら、ものごとの背後にある本質に迫ろうとする、体験を重視した教育活動」と定義づけられている。[注5] 日本では一般的に「ガイド」と呼ばれているが、この解説者のことをインタープリター（Interpreter）と呼び、公的な資格はないものの、全国の自然公園、民間の自然学校、エコツアーなどに活躍の場が広がりつつある。

　インタープリテーションでは、あたかも通訳のように素材と参加者（学習者）の間にインタープリターが位置する。インタープリターは素材から事実や情報を受け取り、自らがメッセージ（ねらい・テーマ）を設定してプログラムをつくり、これを通して参加者に伝える。参加者（学習者）の個性や興味についてよく把握することが重要で、それに合わせたプログラムづくりも大切だ（図1）。

　実際の活動形態は多様である。インタープリターが来訪者に直接対面するものとしてガイドウォークのほか案内施設のカウンター対応、展示解説、体験活動指導などが挙げられる。対象人数に上限があったり、実施する時間に制約があったりする反面、対象者の興味関心や状況、質問等にその場で対応することもでき、教育的な効果も大きい。一方、インタープリターが参加者（学習者）に直接対面しないものとしては室内展示、野外解説板、セルフガイドシステム、ガイドブックなどの印刷物、映像上映などを挙げることができる。この方法ではインタープリターを配置・常駐させる必要がなく、来訪者が自分の都合にあわせて体験することも可能で、多くの人々に対応できる。両方のメリッ

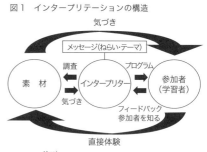

図1　インタープリテーションの構造

（小林毅[注6]をもとに西村が作図）

ト・デメリットを上手に活かすことが大切だ。

6 京都府南丹市美山町の取り組み

　以上の記述を踏まえたうえで、実際の現場に案内してみよう。事例に取り上げるのは京都府南丹市美山町である。表1で紹介したように全国で6番目にエコツーリズム全体構想が認定された先駆的な地域である。[注7)]

「美しい山」と外国人観光客

　JR京都駅から車で1時間余。国道162号線を北上すると京都府・美山町にたどり着く。福井・滋賀との府県境に位置して現在は南丹市の1地域だが、1955～2005年は単独の自治体だった。2006年1月に周辺3町と合併した。地理的条件もあって、今も自治意識の強い地域である。最盛期の人口は1万人を超えたが、2019年1月現在、3800人余。町内の高齢化率は46.2%（2018年3月）。スギやヒノキが育ち、炭焼きや木材の切り出しで生計を立ててきた。最近は自然環境を資源とした山里振興の取り組みを進めており、筆者（松本）は2019年1月と2月の2度、雪の美山町を訪れた。

　地元では南丹市美山エコツーリズム推進協議会を設立して全体構想をまとめ、2014年に国から認定されている。2016年に京都丹波高原国定公園に指定されたことを機に、京都府が同市の建物を改装して2018年にビジターセンター「京都の森の案内所」を開設。エコツーリズムの動きが加速している。

　美山町の主な文化資源は二つある。原生林の残る京都大学研究林・芦生の森と、かやぶきの里である。同里は江戸時代の茅葺古民家が残されたところで、1993年、国の重要伝統的建造物群保存地区（重伝建地区）に選定されて以来、人気の観光スポットになった。同センター運営協議会の一つである一般社団法人南丹市美山観光まちづくり協会によると、美山町を訪れた観光客数は2017年度で計90万人。外国人のうち台湾からの来訪

者が全体の80%を占める。筆者が現地を訪れた際も、バスでやって来た台湾や香港の親子連れらの姿が見られ、雪景色の古民家界隈を楽しそうに散策していた。

同協会代表理事の中川幸雄（1949年生まれ）は旧美山町職員で参事を務めた。「協会は地域版DMO（観光地域づくり法人）として全国でも先駆的に設立された。DMOとは観光や地域づくりのかじ取り役。関係団体が一堂に集まり、観光協会の機能も引き継いだ。交流人口だけでなく、転居を促進し定住人口を増やしたいと願い、名称に〈まちづくり〉を入れた」と話した。

美山町自然文化村と芦生の森

20年前から美山でエコツーリズムの必要性を提唱してきたのが高御堂厚（1960年生まれ）である。同市が出資する美山ふるさと株式会社の常務と、旧美山町が建設した美山町自然文化村・河鹿荘（宿泊施設、レストラン、浴場等。写真1）館長を務める。名古屋市に生まれ、日本大学農獣医学部を卒業して東京の動植物専門学校の教員兼事務職員となった。1980年代後半、京都校に転勤。学生実習のために芦生の森に入山するよ

写真1　美山町自然文化村・河鹿荘の外観

うになり、豊かな自然に魅せられた。思うところあって1989年に退職。職場結婚した妻と1年余り米国に留学した。ペンシルバニア州立環境教育学習センターなどで環境教育とインタープリテーションを学んだ。高御堂は帰国後、「米国で学んだ環境教育プログラムを実施したい」と夫婦で旧美山町に移住。開館直後の河鹿荘館長に相談すると、住まいと仕事を紹介してくれ、1993年、河鹿荘職員に採用された。野草の教育、ハイキングツアー、自然撮影会を企画した。

2002年に退職して自然教育を行う団体を設立。廃寺で昔の暮らしを体験できる事業を行ったあと、2008年に河鹿荘支配人に復職した。高御堂によると、芦生の森では年間受入人数に制限が設けられ、ガイド引率で入山できる団体は河鹿荘を含めて4団体のみ。河鹿荘によるツアーの人数が最多で、団体入山者年間約3000人のうち2000人を占める。

河鹿荘による芦生の森ツアーは参加費8100円。1991年に開始して今では年間140本を行う。ガイド同乗のマイクロバス2台で山に入る。高御堂は「由良川の源頭部まで登って水がしみ出すところを目撃できる。100m上の杉尾峠からは日本海を遠望できる。源頭部と流れ込む日本海の両風景を眺めると、森を守ることが海を守ることだと分かる。環境教育に

写真2　かやぶきの里を行き交う外国人観光客

役立つ」と熱っぽく語った。河鹿荘の 2017 年度売上額は年間 1 億 8000 万円。年間 8 万人が訪れ、宿泊者の 20％は外国人だ。高御堂は 2018 年から 2019 年にかけて台湾、香港、タイに出張して旅行会社を回り、「美山町にお越しください」と PR 活動を行ってきた。

かやぶきの里と雪灯廊

　かやぶきの里は河鹿荘の西側 2km 先に位置する。一角にある美山民俗資料館は市立の施設で、地元の北村かやぶきの里保存会が指定管理者に選ばれている。館長の中野貞一（1942 年生まれ、元京都府職員）によると、概ね 150 年以上前に建てられた茅葺家屋が 39 棟あり、約 100 人が暮らす。重伝建地区に選定後は屋根葺き替え費用の 80％の補助金を受け取れる。自己負担は 20％だ。しかしトタン屋根から茅葺に戻す場合、95％の補助金が出るので、選定されてから 8 棟が茅葺屋根に戻ったという。自身の自宅も茅葺である中野は「日本の原風景を見てもらうため、日常生活を大切にしようと申し合わせている」と話した。

　茅葺屋根は約 20 年に 1 度葺き替える必要があり、「みんなのもの」という協働意識が強い。重伝建地区選定の際は住民全員が気持ちを一つにして押印した。中野は「他の重伝建地区を調べると、店を開いて稼ぐ家とそうでない家の間に貧富の差が生じていた。ここではほぼ全戸が出資して有限会社かやぶきの里を設立した。みんなで潤おうと考えた」と語った。同社では土産物、食事処、民宿、カフェギャラリーの四つを経営して従業員 30 人（パートを含む）を雇用する。

　観光客誘致のために 2004 年から始めたのが「雪灯廊」である。2019 年は 1 月 26 日（土）〜 2 月 2 日（土）に実施した。平日 1000 人、土日各 4500 人が訪れた。8 日間で約 2 万人がやって来て盛況だった。多くは雪の降らない台湾や東南アジアからの観光客である。道路沿いの駐車場にテントが張られ、北村かやぶきの里保存会、地域住民組織、美山ふるさと株式会社などで組織する実行委員会メンバーがバケツ、スコップ、蝋燭の

3点キットを手渡した。観光客はバケツに雪を詰め、ひっくり返して灯籠をつくり、スコップで穴を掘って蝋燭を立てた。500点ほどが並ぶと壮観である。茅葺の古民家もライトアップされた。

持続可能性に向けた課題とは

　合併前の旧美山町が観光戦略に舵を切った契機は、かやぶきの里の重伝建地区選定だった。20年余りを経て順調に推移してきたと映るが、課題は山積している。関係者の話を総合すると、一つには年間90万人が訪れながらも美山町での宿泊は年間2万人にとどまる。宿泊施設は20軒あって計算上1日500人を受け入れ可能だ。しかし6畳間に4人、8畳間に6人を泊める形状がほとんど。実態は6畳間の1〜2人利用等が増えており500人稼働には到底至らない。個室の少なさも悩みである。同協会事務局長の高御堂和華（1993年生まれ）は「外国客はバス・トイレ付の個室を希望される。共同浴室だと外国人は水着で入浴することもある。外国から協会に問い合わせが入っても紹介できる部屋に限りがある」と打ち明けた。二つには客単価が低いこと。同町内の一人当たり消費額は941円（2018年度調査）。京都市内の一人1万9660円に比べて20分の1以下だ。日帰り客が多いうえ、購入意欲を高める新商品の開発が急務である。近年は美山町で鹿が年間500頭ほど捕獲されるので、地元産の鹿や猪を活かしたジビエ料理を売り出している。

　高齢化も著しい。先述した雪灯廊の場合、雪の灯籠づくりは古民家に暮らすシニア世代が手づくりしていた。しかし実施10年を経て年老い、作業が難しくなった。近年は観光客自らに制作してもらっている。高御堂和華は「旅館等の経営者が高齢化して後継者がいない。なじみ客だけ受け入れる場合も目立ってきた。雪灯廊の開催も、地元住民ボランティアの苦労が大変で、このままでは続かない」と懸念した。

　明るい兆しもみられる。南丹市は河鹿荘に個室10室と団体客用レストランの増築を計画している。

協会事務局長の高御堂和華は河鹿荘館長である厚の長女で、神戸大学国際文化学部卒業後、郷里の美山町に戻って来た。1年近く英国シェフィールド大学都市計画学部に留学した経験も有する。和華は「協会でなら美山町で旅行を自ら企画してガイドできる。魅力を感じた」と言い、「美山では顔が見える関係で仕事ができる」と笑顔で語った。外国からの問い合わせに英語で対応する。体験型の滞在プランを新規に考え、地域の滝を巡るツアーや地元の語り部と歩くツアーを企画したところ好評だった。和華は休暇でミャンマーの仏教地を訪ねた。「20ドルの入域税を徴収し、カード決済も導入していた。英国旧植民地なので英語が通じた。美山町と比べて考えさせられた」と話した。これからは新しい世代が美山町のエコツーリズムを担っていくことになる。

7　日本におけるエコツーリズムの現状と課題

　人口3800人余りの山あいの地域である京都府・美山町の調査から浮かび上がってくるのは次の3点である。一つには、エコツーリズムの取り組みは当該地域の「自律性」や「自治力」が問われることである。冒頭で言及したように、エコツーリズムは、古代マヤ文明のないコスタリカのように「文化資源に恵まれなかった地域」から生まれてくるものである。20年前の美山町では「芦生の森」も「かやぶきの里」も今ほど著名ではなく、知る人ぞ知る存在に過ぎなかった。エコツーリズムという概念をもとに、町内にある資源の魅力をいかに外部に伝えるかの努力を重ねてきた。その成長過程が実に興味深い。「かやぶきの里」や南丹市美山エコツーリズム協議会は取って付けたように誕生したわけではない。政府の推進政策の一方で、地元が地道な努力を重ねてきた歴史を抜きに語れない。

　二つには、専門人材の存在がいかに重要であるか、を教えてくれた。京都の外から美山町に移り住んできた高御堂厚が20年前にエコツーリズムを言い始めたとき、地元住民は理解できなかったようだ。合併前の美山町職員で、現在は南丹市美山観光まちづくり協会代表理事を務める中川幸雄

は「高御堂さんは『エコツーリズムをやろう』と当時から言っていた。しかし当初、私は全然関心がなかった。彼の理想として話を聞いているうちに影響を受けた」と筆者に打ち明けた。さらに厚の長女である和華が同協会の事務局長を引き受け、後継者になろうとしている。英国留学を経験した彼女は新たに滝めぐりや語り部と歩くツアー等を企画して、山里に新風を吹かせ始めた。

　三つには、インタープリター養成の大切さである。いくら自然が残されていたとしても、芦生の森に団体として入山するには先導・解説役のガイドが欠かせない。コインの裏表のようにエコツーリズムとインタープリターは一つのセットなのだと知った。専門人材に加えて、地元住民自身も欠かせないインタープリターの役割があると筆者は思う。たとえば茅葺の美山民俗資料館は地元の北村かやぶきの里保存会が市から指定管理者に選定され、館長の中野貞一をはじめ勤めているスタッフは地元の人たちばかりだ。彼ら彼女らが台湾から訪れた観光客に昔の暮らしを丁寧に説明する場面を見かけた。

　本稿の事例紹介で触れられなかった試みもある。たとえば子どもたちに自然体験活動を行うNPO法人芦生の森自然学校や株式会社美山野生復帰計画などの民間団体が盛んに活動を展開していることも大切な取り組みである。民間団体には実績あるインタープリターがおり、そのもとで新たな人材の育成が行われると期待される。

　エコツーリズム推進法の施行から6年後の2014年、国は「エコツーリズム推進に関する検討会」を開催し、これまでの経過を踏まえながら今後の推進方策の検討が行われた。それによると、自治体の現状と課題として、①エコツーリズムに取り組む意向のある市町村は約50%に達し、地域活性化につながる観光推進戦略としての期待が高い。しかし「知識、人材、予算の不足」といった理由で取り組む予定のない自治体も多数ある。②取り組む意向があっても、実際に計画の策定や推進協議会の設立に至っていない市町村が70%を占める。③地域認定のための全体構想策定の作業量

が多くなり、恩恵が少ない。④そもそもエコツーリズムとは何か、他の新しいツーリズムとの類似や相違がわからない…などの課題が指摘された。

　一方で、全体構想の策定に取り組んだ地域では、地域資源の魅力が認識され、持続的な地域づくりに対する意識が高まったとの効果が報告されている。

　エコツアーを実施する民間団体等も課題を抱えている。常勤スタッフが10名以下という零細な団体が多く、担い手の獲得や育成が困難であること。また参加費設定が低く集客状況も芳しくないなど、ビジネスとしての維持発展や市場の形成にいまだ課題があることが指摘されている。^{注8)}

　訪日外国人観光客を誘致するインバウンド観光戦略として、エコツーリズムが大切だと言うことはたやすい。しかし実施には不断の努力が求められる。地域を挙げた取り組みが必要だ。それでもエコツーリズムには、地域住民と自然との相互作用を活性化させ、仕事を生み出し、地域の未来を拓いていく可能性がある。「文化資源も、観光資源も何もない」ところからでもチャレンジできるのだ。この可能性を重視して、ぜひ新しい取り組みを始めてほしい。

注
1) "Ecotourism Definition and Principles" The International Ecotourism Society,2015
2) 敷田麻実「自律的観光から持続可能な地域を目指して:エコツーリズムという試み」(『大交流時代における観光創造』(70)、北海道大学大学院メディア・コミュニケーション研究院、2008、75-96頁)。
3) 元水俣市職員の吉本哲郎と民俗研究家の結城登美雄が提唱した。
4) エコツーリズム研究者の真板昭夫らが提唱した。
5) 古瀬浩史「インタープリテーションとは」(津村俊充・増田直広・古瀬浩史・小林毅編『インタープリター・トレーニング』ナカニシヤ出版,2014年) 3頁。
6) 小林毅「動物園・水族館におけるインタープリテーション」(社団法人日本動物園水族館協会『新しい教育モデルプログラム〜動物園・水族館を利用した生涯学習の展開〜』2002年、社団法人日本動物園水族館協会、50頁)。
7) **6**の調査は、2019年1月14日と2月28日に現地を訪れ、関係者から話を聞いた。
8) 環境省「エコツーリズム推進に関する検討会報告書」2015

※**5**は西村が、**6**の事例は松本が担当した。**7**は協力してまとめた。**6**は松本茂章「京都府南丹市・美山町のエコツーリズム」『公明』2019年5月号の原稿に加筆修正したものである)

2-3
観光と協働した文化財行政

朝倉由希

1 文化財と観光に関する近年の動向

　文化財の観光資源としての期待が急速に高まっている。2020年に東京オリンピック・パラリンピックを控え、政府は2016年3月、「明日の日本を支える観光ビジョン構想会議」において新たな観光ビジョンを策定し、文化財の観光資源としての開花を目標の一つに掲げた。ビジョンには、「文化財を、保存優先から観光客目線での理解促進、そして活用へ」とあり、2020年までに文化財を核とする観光拠点を全国で200整備し、分かりやすい多言語解説など1000事業に対し集中的に支援することとしている。これを受け文化庁は、文化財多言語解説整備、歴史体験プログラムの充実、文化財の美装化、VR等の先端技術を用いた効果的なコンテンツの発信等、文化財の観光拠点化に向けた新たな事業を推進している。

　また、2018年には文化財保護法が大幅に改正された。改正の概要は後述するが、社会状況の変化等により文化財の継承が危機的な状況にある中、従来の文化財保護制度のあり方を見直し、地域振興の核として継承する方策を模索しようとするものである。必ずしも観光への活用のみを目的とした改正ではないが、これまでの保存重視の文化財保護行政から、活用重視への転換といえ、政府の観光立国の動向とあいまって、文化財の観光活用のあり方に注目が集まっている。文化財は地域固有の歴史文化を反映したものであり、観光地域づくりにとって重要な資源となることは間違いない。他方で、文化財は一度壊れれば取返しのつかないものである以上、過度に観光活用を進めることへの慎重論も強い。

　文化財の保存と観光活用が二項対立にならずに、文化財と地域社会双方の持続的な発展につながることが望ましいが、そのために必要な要素は何か。本章では、文化財保護法改正の趣旨や、その基にある歴史文化基本構

想について概観したうえで、福井県小浜市の事例を通じ、文化財と観光振興の望ましいあり方を探る。

2 改正文化財保護法の趣旨と内容

2018 年 6 月、第 196 回国会において「文化財保護法及び地方教育行政の組織及び運営に関する法律の一部を改正する法律」が成立し、2019 年 4 月 1 日から施行された。

改正の趣旨は、過疎化・少子高齢化等を背景に地域の衰退が進み、文化財が担い手不足により滅失・散逸の危機に瀕する中、地域社会総がかりで文化財の継承に取り組んでいく体制づくりを目指そうとするものである。

今回の法改正のポイントをまとめると、次の 3 点が挙げられる。

① 地域における文化財の総合的な保存・活用にむけた大綱と地域計画の策定

都道府県に文化財の保存及び活用に関する総合的な施策を定めた「文化財保存活用大綱」を、市町村に「文化財保存活用地域計画」（「地域計画」）の策定を求める。地域計画が国の認定を受ければ、現状変更の許可など文化庁長官の権限に属する事務の一部について、都道府県・市のみならず認定町村でも行うことが可能となるなどの特例が認められる。いくつかの市町村は文化財を総合的に把握し保存・活用するための歴史文化基本構想をすでに策定している。地域計画への移行は、歴史文化基本構想を法定化し、計画のより着実な定着と継続的な取り組みを図るものである。

② 個々の文化財の確実な継承に向け個別の文化財の「保存活用計画」の法定化

国指定文化財の所有者や管理団体等は、個別の文化財に対し保存活用計画を策定することができ、国の認定を受けた場合、計画に記載された行為は、文化財の現状変更等の「許可」を「届出」にするなど、手続きが弾力化される。

③ 地方文化財行政の推進力強化のため条例により首長部局への移管が
　可能に

　　これまで文化財行政は教育委員会が所管することとなっていたが、
　　条例により首長が担当できることとなる。首長部局に移管する場合
　　は、専門性確保のため、任意となっていた地方文化財保護審議会の
　　設置が必須となる。

　つまり、文化財行政の権限の多くを国から地方自治体に移譲し、地域が
自らの計画のもと主体的に文化財の保存・活用を進め、より柔軟に文化財
を地域振興等に生かせるようにすることが今回の改正のねらいである。

　この改正に対しては、所管が首長部局に移ることで文化財の専門性は保
たれるのか、観光が優先となり文化財本来の価値が保たれなくなるのでは
ないかといった、様々な危惧や批判の声も聞かれる。しかし、文化財を取
り巻く環境が厳しさを増す中で、文化財の意義や価値を社会の中で広く共
有し、地域社会全体で継承する体制を作るのが急務であることは間違いな
く、今回の改正を各自治体がどのように生かしていけるかが鍵となろう。

　未指定も含めた文化財を総合的に把握し、計画的な保存や活用につなげ
るという発想自体は、2007年に提唱された「歴史文化基本構想」の理念
を引き継いでいる。そこで次に、歴史文化基本構想策定が推進されてきた
背景と、まちづくりや観光にかかわる制度との関連について見てみよう。

3 歴史文化基本構想と関連制度

　歴史文化基本構想とは、地域に存在する文化財を、指定・未指定にかか
わらず幅広く捉えて把握し、文化財をその周辺環境まで含めて総合的に保
存・活用するための構想である。2007年10月の文化審議会文化財分科
会企画調査会報告書において提唱された。

　それまでの文化財保護行政は、文化財保護法で規定されている6類型
の文化財（有形文化財、無形文化財、民俗文化財、記念物、文化的景観、
伝統的建造物群）ごとに、指定・選定された個々の文化財を単体で保護す

ることが中心であった。本来、一定の地域において複数の文化財は、当該地域の歴史文化を反映し関連性を持って存在しているが、そういった関連性や周辺環境との関係への意識は希薄であった。また、貴重な歴史文化資源であっても、指定文化財でないがために保護措置がなく滅失してしまうものも多くある。そのような課題に対し、歴史文化基本構想は、地域の多様な文化財を指定・未指定問わず関連文化財群として面的に把握し、周辺環境も含めて総合的に捉えることで、地域内の文化財を一体的に保存・活用していく方針を定めることを趣旨としたものであった。

　歴史文化基本構想の議論と並行して、歴史を生かしたまちづくりを進めるためのしくみが整えられた。2008 年に文部科学省（文化庁）、国土交通省、農林水産省の共管で制定された「地域における歴史的風致の維持向上に関する法律」（通称「歴史まちづくり法」）では、「歴史的風致」を「地域におけるその固有の歴史及び伝統を反映した人々の活動とその活動が行われる歴史上価値の高い建造物及びその周辺の市街地とが一体となって形成してきた良好な市街地の環境」と定義し、歴史や伝統を反映した人々の営み（ソフト）と、歴史的な建造物や周辺市街地（ハード）の両面を一体的に捉える。市町村が歴史的風致維持向上計画を作成し、国に認定されると、様々な措置や支援を受けることができる。歴史的風致維持向上計画作成にあたっては、歴史文化基本構想を踏まえた計画とすることが望ましいとされている。

　また、2015 年に文化庁は地域の歴史的魅力や特色を語るストーリーを「日本遺産」として認定する事業を開始した。従来の文化財行政は、個々の文化財を点として保護してきたが、日本遺産は地域に点在する指定・未指定を含めた文化遺産を面として捉えてストーリーを発信するしくみである。地域住民の理解を促進するとともに、国内外へ戦略的に発信することで観光への展開を推進しようとするものである。単一の市町村内で完結する「地域型」と、複数の市町村にまたがって認定する「シリアル型」の 2 種類があり、「地域型」で認定を受けるにあたっては、歴史文化基本構想ま

たは歴史的風致維持向上計画を策定済みの市町村であることが条件となる。

　このように、文化財をまちづくりや観光と連携させる新しい制度が創設されているが、歴史文化基本構想はその土台となるべきマスタープランである。2019年4月時点で、111市区町村において108の歴史文化基本構想が策定されている。

　文化庁では、北海道大学との共同研究において歴史文化基本構想策定の課題を分析している。[注1] それによれば、策定にあたって自治体が感じる課題として、「知識、情報がない」「人材不足」「予算不足」「庁内（関係部署）の協力・認識不足」「策定後の効果が見えにくい」「法的根拠がない」「必要性が感じられない」等が挙げられている。一方で、策定済みの自治体からは、策定の目的や効果として「住民のまちづくりへの機運の高まり」「構想に基づいた文化財の新たな活用」「日本遺産の認定」「歴史的風致維持向上計画の認定」等が挙げられており、構想策定が文化財を活用したまちづくりや観光振興等に結び付いていることがうかがえる。

　今回の文化財保護法の改正により、歴史文化基本構想が法的根拠のある地域計画となることによって、より実効性が担保され、他部局との連携が進み文化財を様々な形で社会に生かす動きにつながることが期待される。

4 文化財の観光活用に向けた文化庁の新しい取り組み

　2017年度より、文化庁は京都への移転を先行的に進める組織として、地域文化創生本部を京都市に設置した。その中で、広域文化観光・まちづくりグループは、従来文化庁が担っていた文化財指定等や保護措置、指導・助言等以外の、文化財等を活かしたまちづくりや広域文化観光の推進に取り組む。広域文化観光・まちづくりグループ文化財調査官の村上佳代へのヒアリングから、文化財の観光活用を進めるうえでの課題と方策をまとめた。

　村上は第一の課題として、文化財を観光に活用することへの根強い抵抗感がある文化財関係者が多いことを挙げる。確かに文化財は一度壊れると永遠に取り戻すことができないものであり、破損や劣化から守ることは重

要である。観光客数や収益の増加を優先するあまり貴重な文化財が失われることがあってはならない。一方で、保存に重きを置きすぎて価値や魅力が十分に伝わっていない文化財も多い。「保存か活用か」という二項対立の議論を超え、両立する道を探る必要がある。

　そのための取り組みとして、広域文化観光・まちづくりグループでは、ユニークベニュー^{注2)}や多言語対応等、文化財活用の新しいテーマに関するハンドブックを制作している。ユニークベニューのハンドブックでは、単に貸会場として使うのではなく社寺等の本来の用途を尊重することや、火災に注意すること等の文化財ならではの配慮を盛り込み、文化庁としての文化財活用に関する考え方を示している。これは文化庁だからこそ発信できる重要なメッセージだと村上は捉える。

　また、筑波大学との共同研究で、文化財建造物に人が入る場合の影響調査を行い、科学的根拠の蓄積に取り組んでいる。文化財の活用が広がる中、劣化への影響を過度に恐れるのではなく、適切な時期や方法で修復し確実な保存につなげるためには科学的根拠が必要であり、データを蓄積することにより活用と保存が両立することが期待される。

　次に、文化財行政は連携して総合的に進めることが不足していると村上は指摘する。あるエリアの中でも個々の文化財を発信するのではなく、お互いに手を結ぶことで地域全体の魅力を向上できる。そのためには地域全体を俯瞰して見ることができる新しいスキルを持つ人材が必要である。また、行政内での部局間の連携不足も指摘する。文化には文化の、観光には観光の専門性がある。文化財の価値を最も知る文化財担当者が、観光部局や他の部局に分かるように伝えることで、より効果的な展開が期待できる。

　2018年度に、歴史文化基本構想を策定している自治体間の交流促進を目的として「歴史文化基本構想連絡協議会」が初開催されたが、そこでは各自治体から「連携が難しい」「住民の理解が進まない」という意見が寄せられた。これから歴史文化基本構想や地域計画を作る自治体では、担当課だけで進めるのではなく、関係部局を巻き込むことが重要である。今回

の法改正で、法的根拠のある地域計画を作成することになるため、他部署を巻き込み全庁で文化財の活用について考える推進力となってほしいと、今回の改正が追い風となることに村上は期待を寄せる。

　ところで、村上は文化財とまちづくり・観光の両方のバックボーンがある。学生時代は史跡整備等を専門に学んだが、文化財とまちづくりに距離があることに疑問を感じ、観光やまちづくりを学んだ。山口県萩市で行われていた、住民が参加し地域資源を掘り起こす「お宝マップ」の取り組みに感銘を受け、その後、ヨルダン等の途上国で萩市をモデルに文化資源を生かした観光開発に携わってきた。「個人的に、すでに価値が明らかになっているものよりも、まだ価値が明らかになっていないものを見出して、その価値を広め共有したり活用方法を考えたりすることに面白みを感じる」という村上は、エコ・ミュージアムのコンセプトを理想に掲げる。まちじゅうを屋根のない博物館と見立て、地域を熟知する住民自身が歴史や文化の語り手となり、観光客に発信する手法である。ヨルダンのサルト市では、住民を巻き込み、伝統衣装や食事などの生活文化そのものを体験する観光コースを開発した。

　「文化を観光に生かすには、地域住民が価値を認識しないままではうまくいかない。自分と文化財の結びつきを発見したり、観光客が来て外部から評価されたりすることによって、住民自身が自らの地域の文化財の価値を認識することが大切である。文化を通じた観光振興の意義はそこにある。」

　文化財と観光の望ましいあり方についてこう語る村上が、好事例として推薦する小浜市の取り組みを、次に紹介したい。

5 小浜市の事例　日本遺産「御食国若狭と鯖街道」を 活かした観光振興

小浜市の概要

　福井県の南西部に位置し日本海に面する小浜市は、全国でも有数の文化財集積地である。かつて若狭国に属し、奈良・平安時代には御食国[注3]と

して、朝廷に海の幸や塩を献上し、都の食文化を支えてきた。その後、京都と若狭をつなぐ若狭街道は、大量の鯖を運んだことから鯖街道と呼ばれるようになり、重要な物流ルートとして利用された。街道沿いには港、城下町、宿場町が栄え、京都からは祭礼、芸能等の無形の文化がもたらされた。このように古くから大陸と畿内を結ぶ交通の要衝として、様々な物資や人とともに文化が行き交うことにより、豊富な歴史文化遺産が形成された。

　小浜市は、歴史的につながりの深い隣接する若狭町とともに、2010年度文化庁の文化財総合的把握モデル事業として「小浜市・若狭町歴史文化基本構想」を策定した。それが2015年の日本遺産「御食国若狭と鯖街道〜海と都をつなぐ若狭の往来文化遺産群〜」の認定につながっている。

　現在、日本遺産ブランドを観光に活かすため多角的に事業を展開する小浜市における、文化財の観光への活用の考え方や今日までの展開と今後の展望について、小浜市教育委員会文化課日本遺産活用グループ主幹の下仲隆浩と、主事の吉村沙也香にヒアリングを行った。

住民を巻き込んだ歴史文化基本構想の策定プロセス

　小浜市は若狭町とともに2011年3月に小浜市・若狭町歴史文化基本構想を策定した。構想策定にあたっては、地域の文化財を総合的に把握することが基本となるため、通常は歴史文化の専門家が委員となり、文化財の悉皆調査から始める。しかし、小浜市では文化財の調査と並行して、住民団体、企業、公民館、学校等の文化財に対する興味や活動を把握することを重視した。小浜市は、歴史に裏付けられた独自の食文化をまちづくりの根幹に据え、2000年より食を起点に、産業活性化、環境保全、健康福祉、教育、観光等の各分野の発展を目指してきたが、その中で、様々な住民団体が食文化に関する活動を活発に行っていた。このような既存の活動を把握して、歴史文化とマッチングさせることを意識したのである。

　策定後には、住民を巻き込み、地域の祭りと結びついた食文化の調査に取りかかった。小浜は民俗文化財の宝庫であり、神様や仏様に旬の食を供

える場である祭りには、特色ある食文化が残る。また、祭りや食といった無形文化と社寺等の有形文化財が結びついている。それを地域住民が認識するために、アンケート調査を行うとともに、市内全域 12 地区でのワークショップを順次開催していく。2012 年には、調査とワークショップの総まとめとして、住民自身が発表し専門家が総評を行う全地区合同の発表会を行った。

　この一連のプロセスで、住民の意識は変化していく。自らが食文化の掘り起こしにかかわり、外部の専門家からも高く評価されることで、当たり前だと思っていた、祭りや暮らしに溶け込んだ素朴な食文化の価値を見出し、観光資源として外部へ発信する意識が芽生えてきた。

　このように、歴史文化基本構想策定を契機に、文化財に対する住民の意識を高めることに力を注いできた背景には、中心となり推進してきた下仲の思いがあった。長年文化財行政に携わってきた下仲は、小浜には誇れる文化財が数多く存在するにもかかわらず、住民が「寺はあるけれど特別なものは何もない」という自虐的な説明しかできないでいることをもどかしく感じ、「保存優先の考え方ではいつまでたっても地域住民が文化財に誇りや親しみを持つことはできないのではないか」という疑問を抱いてきたという。住民にどれだけ文化財の素晴らしさを説いても伝わらないのであれば、これまでの保存重視の文化財保護の考え方を逆転させるしかない。つまり、「活用」することによって住民にとっては当たり前になっているものが地域外の人から認められ、それにより住民が文化財の価値を認識し、そこから保存・継承につなげる―そのような「活用」から「保存」へという、従来の文化財保護とは逆方向の発想が必要であると考えた。

　下仲はまた、市役所職員という立場を超えて、自ら 10 以上の住民団体にメンバーとして所属し、住民同士の活動を連携させることにも注力してきた。「いかに地域住民の意識を高め、文化財を活用した取り組みを一緒に進めていけるか」を強く意識し、行動してきたのである。

文化財を活用した宿泊施設と文化体験の提供

　2015年「御食国若狭と鯖街道～海と都をつなぐ若狭の往来文化遺産群～」が日本遺産に認定された。それを起爆剤に、日本遺産の認知度を高め、人材を育成する取り組みを展開している。2015年以降開講している「日本遺産大学」は、住民自身が地域の歴史文化のストーリーを語れるようになり、活用・発信する能力を高めることをねらいとした講座である。そこで生まれた住民のアイディアを観光コンテンツ開発にも結び付ける。講座には観光にかかわる事業者や一般市民が参加し、毎回定員に達する盛況ぶりである。現在、さらに一歩進んで、女性をターゲットに美と食と健康をテーマにした「日本遺産女子大学」も開始している。

写真1　町屋ステイの外観（提供：株式会社まちづくり小浜）

写真2　文化体験・播磨お座敷遊び体験（提供：株式会社まちづくり小浜）

歴史文化基本構想で掘り起こし把握した文化財と住民活動を基盤に、講座を通じさらに住民を巻き込んだ動きを展開する中で、文化財を観光に活用する動きが次々と実現し始めている。代表的なものが、重要伝統的建造物群保存地区の中にある町屋を改修して宿泊場所として活用する町屋ステイ民泊事業（写真 1）である。町屋ステイでは宿泊場所だけでなく、食や文化の体験を一緒に提供する。寺社史跡巡りや、元茶屋町での芸妓体験（写真 2）、鯖文化や発酵文化に触れる食体験など、メニューは幅広い。現在力を入れている「ローカルラーニングツアー」（写真 3）は、文化の継承に携わる「人」に焦点を当てた新しい観光コンテンツである。プロの写真家を講師とし、ツアー参加者は小浜の文化財にかかわる人々に出会い触れあいながら、写真や動画の撮影、ライティング等の取材を体験する。

　小浜市は、2015 年に舞鶴若狭自動車道が全線開通し、交通インフラが整いつつあるが、交通の便が良くなったことが要因となり、日帰り客が増え、宿泊客数は減少している。また、観光業界全体の傾向として、団体客は減り小規模な個人旅行客が増加している。そのような傾向の中で、個人や少人数の観光客が満足するような体験型観光や着地型観光を開発し、長期滞在観光を促進することが求められる。小浜の独自性ある文化に光をあて、食文化や人など幅広い要素を生かしていくことは、体験型観光の充実において今後ますます重要になるだろう。

写真 3　ローカルラーニングツアーの様子（提供：株式会社まちづくり小浜）

推進体制と今後の展望

　現在、小浜市の観光振興は DMO 法人おばま観光局が中心となって推進している。2010 年に小浜市が出資する第三セクターとして設立され、2017 年に観光庁の「日本版 DMO 法人」[注4] に登録されている。

　おばま観光局は、従来のように行政と観光協会が主体となるのではなく、地域住民や民間企業等を含めた多種多様な主体が参画することにより、多くの人々の知恵を集めて地域資源を活用することを目指している。歴史文化基本構想の策定以来、住民活動の掘り起こしに力を入れ、日本遺産大学により住民の歴史文化に対する知識のレベルアップや外部発信に向けた意識向上に取り組んできたが、DMO としてのおばま観光局がその動きをとりまとめて観光振興を推進する形をとっている。

　また、全庁的な連携のもとに、文化を観光や産業に生かす施策が推進されていることにも注目したい。観光振興の中心となるのは観光課が所管する DMO 法人おばま観光局であるが、文化課が歴史文化基本構想や日本遺産を活用した取り組みを行い、食の発信に関しては農林水産課が担う。歴史に裏付けられた食文化と有形無形の文化財を総合的に発信するという目的を共有することで、部局を横断した連携がスムーズに行われている。

　現在おばま観光局は、京都と若狭のつながりを発信することによって、京都へ多数訪れている国内外の観光客を小浜に呼び込むための基盤整備を進めている。2018 年に開始した「御食国アカデミー」は、若狭を食文化のルーツの発信地と捉え、開発した食文化コンテンツを体験型観光に組み込むと同時に、京都の料理人と連携し京都の料亭等でも若狭の食材を発信する。また、京都から海外への情報発信プラットフォームである Discover Kyoto と連携して、海外へも強力な情報発信を進めている。

　京都の立命館大学食マネジメント学部[注5] との連携も始まっている。毎年大学 1 年生約 400 名が小浜市に来訪し、地域住民が講師となってフィールドワークを行う。学生と住民が対話しブラッシュアップしながら、食にまつわる観光商品の開発にも取り組む。地域外の視点も取り入れながら小

浜の魅力を磨き上げる流れができつつある。

6 持続可能な観光・文化財・地域の関係のために

　小浜市の事例では、歴史文化基本構想策定の機会を活用し、文化財の活用に住民を巻き込む動きを作り出した。地域住民の内発的な活動を触発し育てることを重視し、指定文化財のみならず、暮らしに息づく多様な文化資源への住民の意識を高めることを通じて、独自性ある文化観光コンテンツの提供につながっている。先述した文化庁の村上の「住民自身が自らの地域の文化財の価値を認識することが大切」という指摘とも呼応する。

　今回の文化財保護法改正は、地域の文化財を幅広く捉えなおし、様々な形で社会に生かすことで未来に継承するための体制を作ることを趣旨とする。行政において観光やまちづくりの部局を巻き込んだ議論にすると同時に、住民の内発性を促進するための契機とすることが必要である。文化財の観光活用というと、美装化や先端技術の導入が注目されがちである。それも一時的に観光客を惹きつける効果はあるだろうが、同時に、文化財の本質的な価値を理解し、守り伝えていこうという地域住民の意識が根底になければ、観光と文化財の良い関係は築けない。住民の文化への意識を高め、地域づくりと文化財の発信・継承の両面をつなげる視点を持つことが、長期的な視野に立ち持続可能な観光と文化財の関係を考えるうえでは重要なのではないだろうか。

注
1）全国 1741 の基礎自治体にアンケート調査を実施し、1731 自治体から有効回答（有効回答率 99.4％）
2）文化財や博物館・美術館等の特別な会場を、会議・レセプション・イベント等に活用する取り組み
3）古代から平安時代まで皇室・朝廷に海水産物を中心とした食料を納めた国
4）DMO は「Destination Management ／ Marketing Organization」の略。経営的な視点から「観光地域づくり」を進める法人で、観光庁は「観光地域づくりのかじ取り役」と説明する。観光庁が日本版 DMO 設立を推進しており、地方公共団体の計画の提出に基づき登録される。
5）2018 年に、食を総合的・多面的に学ぶ学部として開設

第3章
産業振興

3-1
伝統工芸の海外展開と地域の誇り形成

松本茂章

1 日本の伝統工芸をめぐる状況

　文化で地域のデザインを図ろうとする場合、産業の勃興や育成は欠かせないものの一つである。なかでも地場産業は重要で、そこでしか生産できないものがあるので地域の誇りが形成される。雇用が生まれ、地元事業者に注文が回り、行政に税金が納められていく…。こうした循環ができれば、経済的にも文化的にも地域の独自性は高まる。

　本稿では伝統工芸品に焦点を当てながら文化と産業の有機的な連携を検証してみたい。理由は主に三つある。一つには近年ソフト産業に関心が集まるものの、漫画産業やアニメ産業等は東京に集積しているので、地域により焦点を当てるために伝統工芸産業を題材に選ぶ。二つには日本の生活習慣が変わり、もはや国内需要だけではわが国の伝統工芸産業は成り立ちにくい。たとえば和装から洋装へ、畳の部屋から洋間へなどの変容があり、海外展開に活路を見出すことが求められる。三つには伝統工芸の事業者は地域の地理的環境に応じて立地するので地域の課題を考える好材料である。

　しかし伝統工芸産業をめぐる状況は厳しい。生活習慣や住宅環境の変容、人口減少、少子高齢化などを受けて伝統工芸品の国内市場は縮小を続けてきた。だからこそ、内閣府や経産省などの日本政府は「クールジャパン」戦略を掲げ、海外展開の奨励に力を入れている。国内市場が現状のままならば、活路を海外に求めることは自然の流れであろう。

2 伝統的工芸をめぐる政策

「伝統的工芸品」は 1974 年に公布された「伝統的工芸品産業の振興に関する法律」（伝産法）で定められ、通商産業大臣（現在は経済産業大臣）が指定するものである。同法第 2 条では指定の要件として

① 主として日常生活の用に供されるものであること

② その製造過程の主要部分が手工業的であること

③ 伝統的な技術又は技法により製造されるものであること

④ 伝統的に使用されてきた原材料が主たる原材料として用いられ、製造されるものであること

⑤ 一定の地域において少なくない数の者がその製造を行い、又はその製造に従事しているものであること

としている。「伝統的な」という場合、具体的には 100 年以上の歴史を有していること、とされてきた。同法に基づいて一般財団法人伝統的産業振興協会（伝産協会、本部・東京）が設立された。

2018 年 11 月現在、232 品目が指定されている。最近では 2017 年 11 月に「奥会津昭和からむし織」「千葉工匠具」「東京無地染」「越中福岡の菅笠」「三州鬼瓦工芸品」の 5 品目が、2018 年 11 月には「奈良墨」「三線」の 2 品目が、それぞれ指定された。47 都道府県のうち最も多いのは京都府と東京都の 17 品目、次いで新潟県と沖縄県の 16 品目である。[注1]

経産大臣が指定する伝統的工芸品の生産額や従業員数の推移はどうなっているのか？　高島知佐子・山田太門（2016）によると、生産額は 1983 年をピークに減少し続けている。1983 年は 5405 億円だったが、2012 年度には 1039 億円まで減少した。従業員数は 1979 年がピークで 28 万 7956 人だったが、2012 年度は 6 万 9635 人に減った。それぞれ最盛期の 4 分の 1 あるいは 5 分の 1 の水準に落ち込んだ。[注2]

伝統工芸産業はいくつもの悩みを抱えている。後継者や事業拡大のノウハウが不足し、原材料確保や単独販路開拓も難しく、情報発信やブランド

力が強くない。日本政府は産地に対する補助金や伝産協会に補助金を支出したり、産地ブランド化を進める事業を奨励したりしてきた。しかし筆者からみるとき、補助金に頼った政策には限界があるように思える。代理店等が補助金ビジネスで潤うだけでなく、産地で人材を育てる課題にもっと注力してほしいと願う。

伝産協会では、国内外で企画展示や産地へのアドバイザー派遣などに取り組んできた。海外展開では、世界最大の消費財見本市であるドイツ・フランクフルトの「アンビエンテ」やパリ郊外で開かれる家具工芸見本市「メゾン・エ・オブジェ」への出展支援や海外販売方法の基礎知識を習得するセミナーを開催してきた。パリ1区にショールームを設置して、テストマーケティングを実施した。

3 自治体の取り組み

都道府県や市町村などによる伝統工芸振興政策も行われている。たとえば佐賀県の事例が興味深い。有田焼創業 400 年事業に寄せて、積極的に海外展開を試みたからだ。[注3)]

有田焼は 17 世紀初頭に生まれた。朝鮮陶工・李参平（初代・金ヶ江三兵衛）らにより、佐賀県有田町で磁器の原料となる陶石が発見されたことが契機となったとされ、1616 年に有田焼が誕生したという。2016 年が400 年に当たることに寄せて、佐賀県は有田焼創業 400 年事業推進グループを特設した。リーダー（部長級）の志岐宣幸（1959 年生まれ。2019 年4 月現在商工部長）ら精鋭職員 17 人を集めた。350 年（1966 年）はハード主導の時代で、県立九州陶磁器文化館（1980 年開設）につながる構想を掲げた。半世紀後の 400 年記念事業はソフト事業を主眼とし、地場産業の立て直しを目指した。志岐は当時「有田焼の年間売上額は協同組合加盟業者の 2014 年度資料で 43 億円ほどとされる。1991 年の 249 億円から6 分の 1 に落ち込んだ。かつて実績を上げた海外輸出は 1％にとどまっていた」と筆者に語った。「だからこそ ARITA の名前を世界に売り込みたい」

と強調していた。

　記念事業の筆頭はパリの家具・工芸見本市「メゾン・エ・オブジェ」（毎年1月と9月に開催）に出展してARITAの存在を強くアピールすることだった。同見本市は買付業者とデザイナーの双方が参加するので影響力が大きく、「ショーウインドウ」の発信力が地球規模に及ぶ。背景には有田焼とパリの間の長い縁があった。江戸時代末期の1867（慶応3）年のパリ万国博覧会には江戸幕府、薩摩藩、鍋島藩が参加。鍋島藩は有田焼を売り込み、「ジャポニスム」人気を巻き起こした。1900年のパリ万博では有田焼が金賞を得た。

　400年記念事業は2013年度に開始。同県は2016年度までの4年間で総額19億9500万円を投入した。同見本市事業には2億8300万円の予算を確保した。実績ある著名プロデューサーと契約、見本市会場の入口におしゃれな専用ブースを設置。公募に応じた8社と組み、2014年9月、2015年9月、2016年1月の三度出展した。

　見本市事業を担当した副課長（当時）によると「初年度に反省があった」という。130m²のブースはやや奥まったところにあった。見本市期間が5日間だけだったので「買いたい」と希望する買付業者へのフォローが不足して取引につながらない場合があった。言葉の問題もあった。反省した2年目以降、ブースは2倍近い200m²に広げたうえ、最前列に設けた。各社ごとに作風が異なるので参加事業者の負担で1社一人の通訳をつけた。パリ市内のショールームと業務提携し、在庫管理、見本市終了後の継続的な問い合わせ対応を依頼した。対策は功を奏した。目抜き通りのシャンゼリゼ通りに店舗を構える老舗香水会社「ゲラン」が高級香水の容器に有田焼を採用。筆者が2016年9月に渡仏した際には2階展示場に20点の有田焼が並べられていた。シャガールやミロを世に送り出した現代美術画廊も有田焼の商社と契約を結んで約80点を購入して展示販売会を開いた。

　このほか佐賀県は一般財団法人自治体国際化協会のパリ事務所に初めて県職員を派遣した。佐賀県と密に連携を取り、有田焼PRの一端を担った。

パリ・デザインウイーク（2016年9月3日〜10日）では、セーヌ川左岸の造船所を改装した見本市会場で、有田焼を展示してPRした。さらに佐賀の地酒や県産茶を各国の人たちに振舞い、羊羹も差し出した。若手県職員が「アレ・ジ、アレ・ジ（さあ召し上がれ）」と呼びかけ「サケ・ドゥ・サガ（佐賀のお酒です）」と大声で訴える姿を筆者は見た。

　有田焼の年間売上額（組合加盟社）が2017年当時43億円余りという現状で、4年間で20億円のプロモーション費用をつぎ込むことに異論はなかったのか？　筆者が有田町を訪れ、パリを歩いて、分かってきたことがある。有田焼400年事業は産業振興政策である一方で、有田焼を通じて「県民の誇り形成」を目指した文化政策の面もあることに気づいたのだ。九州のなかで知名度の高くない同県にとって、有田焼は世界に通じる大切なブランドである。産業政策と文化政策の密接な関係を痛感した。

　東京にも数多くの伝統工芸品の事業者が活動し、「江戸文化」を現在に引き継ぐ。2017年9月の渡仏調査の際には、パリ都心部のショールームで、東京都中小企業振興公社が出展した伝統工芸展を視察した。店舗内は「江戸紫」一色だった。あるいは兵庫県は唯一パリに事務所を置く自治体で、欧州との交流に力を入れている。[注4] 都心のパリ2区に設けられた同県パリ事務所を訪ねてみると、三木特産の包丁など多数の県産品が応接室に置かれていた。商談に役立てるためであった。

4 滋賀県・湖東地区の麻織物産業

　筆者が注目している伝統工芸産業の一つが滋賀県湖東地区の「近江上布」や「近江の麻」である。地域の女性たちが頑張って麻織物の技法を守り育てており、可能性を秘めているからだ。同県愛荘町には滋賀県麻織物工業協同組合が置かれ、同組合が運営する近江上布伝統産業会館（写真1）が近年、積極的な活動を展開する。愛荘町は人口2万1365人（2019年9月末現在）。2006年、愛知川町と秦荘町が合併して発足した。

　近江の麻織物では、絣の輪郭を彫った多数の型紙を制作したあと、捺染

という方法で緯糸に色を付けてから、糸をほどき、再び手織りもしくは機械で織って柄を表現してきた。糸に色を染めるこの技法は「先染め」である。対して江戸小紋や京小紋などは生地を織ってから染色するので「後染め」という。近江の「先染め」は手間がかかるものの、それだけ微妙な色合いを表現できる利点があった。

麻織物の特産地

「近江の麻」。大きな看板を屋上に取り付けた近江上布伝統産業会館は滋賀県東部の愛荘町愛知川の東海道新幹線沿いに建っている。築30年余の町所有建物で、同県麻織物工業協同組合（川口徳太郎理事長）が指定管理者に選定されて運営している。1階は麻織物の布や製品を販売する店舗で、地機も置かれて会館非常勤職員の伝統工芸士らが実演を披露する。2階は工房だ。2017年9月12日の朝に訪れると同組合理事で事務局長の田中由美子（1963年生まれ）が笑顔で出迎えてくれた。田中によると「琵琶湖の東にある『湖東地区』は鈴鹿山系からの水が湧き出す水資源に恵まれた地域。きれいな湧水を必要とする麻の織物（上布）づくりが盛んになった」。江戸時代には彦根藩に保護され、中山道や東海道を通じて全国に出荷された。明治になると湖東が中心生産地となり、昭和になって「近江上

写真1 「近江の麻」の看板を掲げた近江上布伝統産業会館

布」というブランドが生まれた。

　近江上布は 1977 年、通産大臣が指定する「伝統的工芸品」に選ばれた。田中は「江戸時代に木綿が普及するまで麻は庶民的な布地。明治以降は喪服の着物に用いられたり、暑い夏をしのぐ涼やかな和服や帯に使われたりして重宝された」と語る。しかしバブル経済崩壊後、和装の人が減少すると次第に衰退した。往時 20 社だった組合会員も今は 7 社に減った。

　同会館の建物は老朽化し、職員も一人だけに。当初、1 階は組合会員企業を紹介するパネル等の展示室にしていたが、来訪者は少なく、無人のときは電気を消しているほど寂しかった。関係者が懸念して 2009 年 4 月に麻製品を展示販売する店舗に改装した。合わせて同年 5 月、秦荘町歴史文化博物館（当時）の嘱託職員だった田中が同組合常勤職員に採用された。田中は「自分たちの活動費は自分たちで稼ぐことになり、麻織物の販売を始めた」と回想した。

復活を目指して海外に

　近江上布伝統産業会館 1 階店舗には 100 種類約 500 点が置かれる。近江の麻織物を使って新製品をつくり販売してもらおうとアマチュア・クリエーター制度を始めたところ、西川幸子（1969 年生まれ）が応募してきた。2012 年から店舗統括責任者として会館に勤務するようになった。地元に生まれ育った西川は京都産業大学外国語学部フランス語学科を卒業後、京都の和装小物問屋に就職した。同社がパリの手芸品専門店「ラ・ドログリー」と提携して設けたリボン専門店の担当として勤務。定期的にパリに出張してフランスの手芸品を視察した。仏語がうまくなりたいと 1996 年から 1 年間、いったん同社を退社して、仏南部・トゥールーズにある語学学校に留学した経験を持つ。帰国後は復社して働いたが、出産に伴い退職して家庭に入った。自宅で手芸を続けていたとき、同制度に応じて作品を出品。店舗経営や商品開発に携わった経験を田中に見初められた。

　こんな経歴を持つ西川を雇用した同組合が、初めて海外展開したのは

2014 年 9 月のこと。伝産協会の支援を受けてパリの見本市「メゾン・エ・オブジェ」に出展した。さらに近畿経産局が公募する「ディスカバー・カンサイ」の第 2 期（2016 年 4 月～ 9 月）に参加した。西川によると、同局の「ディスカバー・カンサイ」プロジェクト（2017 年度以降は「チャレンジ・ローカル・クール・ジャパン」に名称変更）は、事業者が半年間パリ 1 区のショールームに製品を置いて販売できる取り組みで、1 ヶ月 3 万円の事業参加費を自己負担。売れれば同店が 10％の手数料を得るが、売上が一定額に達しない場合は手数料なしという比較的負担の軽いしくみだった。

展示販売したショールームは広さ 160m²。パリ・オペラ座近くのサンタンヌ通りそばに位置しており、仏の現地法人が経営する。わが国の自治体や企業等と連携、日本製品をパリに PR して仏人客の反応を調べる。期間限定のポップアップストアである。同組合はその後も民間同士の契約を交わして同ルームでの展示販売を続けた。

筆者は 2016 年 9 月と 2017 年 9 月に渡仏した際、同ショールームを視察した。大勢の仏人らが両店舗を訪れる姿を見た。日本貿易振興機構（ジェトロ）パリ事務所次長（当時）の兒玉高太朗（1966 年生まれ）は「ショー

写真 2　近江上布伝統産業会館 1 階の店舗。地機（じばた）の横に立つ田中由美子さん（右）と西川幸子さん（店舗には「近江の麻」製品が並べられ、地機（じばた）の実演も行われる）

ルームの存在は、企業にとって、見本市出展前の市場調査や出展後の商談
フォローアップに利用できる有効なツール。渡仏した企業や自治体関係者
が『見本市以外の視察先は？』と尋ねられた際、消費者の反応を見るため
に訪問してみては、と紹介している」と評価した。

パリの反応に勇気づけられて

　渡仏調査の際、感心したのは丁寧な報告書である。同ショールームの店
舗統括責任者は、仏人が製品を購入したり問い合わせてきたりした際の感
想を聞く。そして顧客のカラー写真付きで毎月１度の報告書を書いて日
本の参加事業者に届ける。同責任者は「何点売れたと文章で報告するより、
どんな方が買ったのか、写真を見れば分かる。説得力がある。逆に『売れ
ない理由』を率直に報告するときもある」と筆者に語った。

　西川はパリから届く月報を心待ちにしていた。最初に届けた製品が手織
りの麻のミニマットだった。「玄関の靴箱の上に置いてもらい一輪挿しな
どを置けると考えた」というが、パリ側から「靴のまま自宅に入る欧州に
は靴箱がない。これは売れない」と指摘された。反省して 2016 年 10 月
には同会館の伝統工芸士による手織り麻製名刺入れを送付した。１点 30
ユーロで結構売れた。「なくなったので、色を増やしてもっと送ってほし
い」との連絡に対して西川は「在庫がなく、糸をつくり、織るにも非常に
手間がかかる。手作業で製品化するので３ヶ月かかりそう」と返答した。
悔しくて唇をかんだ。

　最高級品質の近江上布なのだが、職人は激減した。麻織物には絣と生平
（手づくりの糸で平織りしたもの）の２種類あるが、特に生平は技術が難
しく、会館の伝統工芸士二人だけが手織する受注生産にとどまっていた。
2015 年からは研修生を公募して後継者育成を開始。2016 年 12 月以降、
技術を習得した研修生二人の自宅に地機を貸し出した。ついに 2017 年 9
月、研修生が新たにつくった名刺入れをパリのショールームに送り届ける
ことができた。西川は「パリで売れるとなれば新たに次々とつくらなくて

は。職人が勇気づけられる」と言い、「パリは好ましい。日本文化に関心の高い仏人が多くて製品に対する理解が早い」と話した。〈パリ効果〉である。

2019年4月現在、手織りで機織りできる技術者は5人に増えた。総務省が設けた地域おこし協力隊員の一人が「麻の応援団」に任命され、2018年以降、産業会館に設置された古いシャトル織機を操作して機械織りで手ぬぐいやストールを作っている。

上昇に転じた売上額や来館者数

行政も力を注ぐようになった。滋賀県愛荘町は、政府のふるさと創生事業補助金を獲得。「近江上布魅力再発見創出事業」等の名称で2016年度に1985万円、2017年度に1045万円、2018年度に1080万円を得て、同組合の「近江の麻」オリジナルブランド開発「asaco（アサコ）」（2011年に商標登録）と「asamaru（アサマル）」（2017年に商標登録）を支援。これまでに同組合は20の新商品を開発してきた。

日本古来の麻には大別して二つの種類がある。苧麻（ラミー）と大麻（おおあさ、ヘンプ）である。前者の「asaco」は苧麻からつくる生地である。2011年に商標登録されていたが、「近江上布」の手作業の染色技術を使っており、量産が難しかった。2016年から本腰を入れて機械織りを導入。100％麻なので手触りが良く、一般客に人気だそうだ。対して「asamaru」はヘンプ100％の麻織物が珍しくプロの関係者の関心を集める。

西川は「手織りだけでは量産が難しい。ビジネスにしたいと願って機械織りも導入した。近江上布の前身は藍染めで知られていたので、化学染料を厳選して藍染めの色を再現したところ、関心を持ってもらえるようになった」と語る。田中は「行政の補助金を活用してオリジナルな生地づくりに励んでいる。2018年から縫製業者に外注できるようになった。地元に発注して地域経済を活性化したい。その夢が実現できつつある」と話した。

県麻織物工業協同組合のデータを紹介しよう。伝統工芸産業が右肩下

がりを続けているなか、次の表1からは同組合の売上額が2009年度を「底」に上向き始めた傾向が読み取れる。2009年度と比べると2017年度は131.5%に達する。

　表2からは、近江上布伝統工芸会館の売上額や来館者が右肩上がりで伸びてきた実態が分かる。田中が赴任した2009年度は売上額209万円で来館者2420人だったのに、2018年度は売上額で8.3倍に、来館者は2.5倍に達して初めて6000人を超えた。「近江上布」「近江の麻」を掲げた展示会を全国各地で地道に行ってきた効果が実ってきた。同会館によると、最近、外国旅行のお土産等に持っていきたいと買い求める地元住民が増えた。退職祝い、法事の供養品にも活用されているという。田中は将来について「人件費や維持費、事業費を考えると、長期的に伝統産業会館を維持していくためには年間3000万円の売り上げがほしい」と打ち明けた。

　表1や表2の結果に二人は手ごたえを感じている。2018年には、名前を公表できないが、欧州の著名ファッションブランドがヘンプを用いたストールを開発するためにサンプルをつくりたいと伝えてきて、麻100%の生地数100m分の注文を受けた。あるいは2018年に出展した台湾の展示

表1　滋賀県麻織物工業協同組合の年度別売上高

年度	2009	2010	2011	2012	2013	2014	2015	2016	2017
金額	1288	1429	1477	1533	1690	1730	1706	1690	1694

(同組合の資料をもとに松本茂章作成[売上金額は製織と仕上加工の合計額。100万円単位で以下切り捨て])

表2　近江上布伝統産業会館の売上額と来館者数

年度	売上額	来館者	備考
2009	209	2420	産業会館1階を店舗に／田中由美子赴任
2010	429	3073	
2011	1119	5052	「asaco」を商品開発
2012	1524	3849	西川幸子が店舗統括統括責任者に就任
2013	1837	4319	(町の催しが行われたために増加した)
2014	1512	4486	産業会館が海外初進出（パリの見本市に）
2015	1488	5677	パリのショールームで展示販売を開始
2016	1496	5494	「asamaru」を商品開発／縫製を初外注
2017	1724	5367	「asamaru」を商標登録
2018	1740	6022	台湾展示会初出店／コーヒーフィルター開発

(同会館資料をもとに松本茂章作成 [売上高の単位は万円。来館者は人])

会では「asaco」が話題を集めたうえ、麻100％生地で試作したコーヒー用フィルターを持ち込むと、購入する若者らで行列ができた。

「野々捨」という新たな地域文化資源

　2017年以降新たな動きがみられた。「野々捨(ののすて)」柄を活用した新商品開発である。「野々捨」とは何か？　1884（明治17）年に野々村捨次郎（初代）が現在の愛荘町内に創業した「野々捨商店」のことである。廃業した2002年までの78年間、近江上布の製造を中心に操業した。合併前の旧秦荘町歴史文化資料館（現在の愛荘町立歴史文化博物館）に勤務していた田中と上司の二人が同商店の廃業を聞き、「何か残っているかもしれない」と直感して店舗や工場に出向いた。しかし織機などは廃棄され、倉庫は空洞状態だった。倉庫に高く積まれていた型紙を発見。同商店と交渉して同博物館に寄贈してもらった。田中は「型紙は柿渋で和紙を重ね合わせたもので、8色刷りなら8枚の型紙がセットであるはずだが、大部分がバラバラになっており、整理の仕事を担当した」と話した。

　残された型紙は、昭和初期から昭和50年代までのものとみられている。愛荘町は2010〜2011年度の2年間に国の緊急雇用創出特別推進事業に

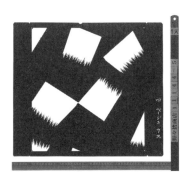

写真3　野々捨柄のデザイン（愛荘町提供）

写真4　野々捨柄がデザインに採用されたクッションカバー（持っているのはウエスティ工業の西村真理さん）

応募して職員を臨時雇用。写真撮影してデジタルデータを作成、図録『野々捨商店型紙』（愛荘町教委、2012）（写真収録2441枚）を発行した。

　田中によると、「野々捨」の型紙にはいくつかの特徴がある。一つには多色刷りの柄である。通常は8色刷りでも多いのだが、「野々捨」は18色刷りのものもあった。他社にないほどカラフルだった。柄の後ろに地模様も入れるので、白いところが見えないぐらい、色をのせた。

　二つには、柄のデザインが実に多様である点だ。伝統的な草花柄、ひし形などの文様に加えて、トランプのハートやスペードを活かした現代的な柄なども、残された型紙に含まれる。「野々捨」に限らず、近江の麻は「京や江戸と比べて伝統的な意匠はなく、流行の先端を取り入れた」（田中）ので、柄にバラエティがあり、現代にも通じる。

　三つめの特徴は、柄のデザインが「素朴で田舎っぽい」（田中）こと。専門職人が多くいた京や江戸に比べて、近江の麻は農村の副業として盛んになったので、地域性が生じた。

　保存された「野々捨」の型紙は、貴重な愛荘町の文化資源となった。町立歴史文化博物館に寄贈されて、町に所有権が移された。一時、近江上布伝統産業会館に型紙が保管されていた縁で、布に関しては県麻織物工業協同組合が2017年に「野々捨」柄を商標登録していた。

　この「野々捨」柄に注目した地元企業が現れた。布団カバー縫製企業「ウエスティ工業」（本社・愛荘町）である。「野々捨」柄を活用して布団、こたつ、座布団、クッションの各カバーを綿製品で製造。2019年4月、近畿経済産業局の先述の事業に応募してパリのショールームにてデビューさせた。同月内に大阪の問屋にも卸した。採用したデザインは刷毛で掃いたような大柄な意匠、草葉とひし形の意匠があり、合わせて三つの柄を採用。青や黄色など8色の新製品を売り出した。社長の妻である西村真理（1977年生まれ）は専業主婦だったが、2018年2月に入社して経営企画室長に就任。知り合いから「野々捨」柄の物語を聞き自らのデビュー商品に選んだ。町に柄の使用を相談。町が立ち会う形で同年5月に同社と県麻織物

工業協同組合の間で覚書が交され、町の持つ「野々捨」柄のデジタルデータを無償で使用できることになった。同年 10 月には町と同社が通常使用権設定契約書に調印。同社は製造コストの 5％をロイヤリティとして町に支払う契約を交わした。「野々捨」柄は地域の〈オープンリソース〉としてビジネスに活用されることになった。経営企画室長の西村は「『野々捨』の型紙集を拝見して大切な地域の文化資源だと分かった。これだけ多くの柄があるので、これから第 2 弾、第 3 弾と続けたい」と話した。結婚して家庭に入る前は地元・滋賀銀行の行員として働いていた。縫製業は海外生産の輸入もあって経営環境が厳しく、新たな商品開発と販路開拓が急務となったため、経営企画室をつくり、自ら室長に就いた。

　一方、近江上布伝統工芸会館では 2019 年度、「野々捨」柄を活かした新たなオリジナル製品の開発を始めた。国の地方創生推進交付金 1000 万円を得た同町から近江上布発信業務を委託されたからだ。手織りや機械織りの麻 100％の生地を活かして財布とハンカチを製造。「野々捨」柄を刺繍した新商品を製造して首都圏や海外に売り出す。西川は「台湾の展示会に持ち込み、販売先を見つけて成約させたい」と意気込んだ。

　愛荘町観光物産推進室長の小林充周（1972 年生まれ）は「近江の麻」に大きな期待を寄せている。「海外の評判が日本に逆輸入され、近江の麻が有名になれば、『近江の麻』や愛荘町に新たな注目が集まる。話題になって人々が訪れてくれる。麻織物の特産地をアピールして観光客をもっと集客したい。愛荘町には従来、全国で注目される観光資源がなかったが、旅行会社と連携して、伝統産業館で麻織物を実体験する観光客を増やすことができれば…。町のアイデンティティとして麻織物を活用したい」と語った。

5 浮き彫りになったこと

　「近江の麻」の事例から四つの点を指摘したい。一つには女性たちが自由な発想で活動を展開して衰退した伝統工芸を盛り返そうと尽力している

点が興味深かった。県麻織物工業協同組合は会費収入が少なく、産業会館を運営するための賦課金が多くない。「会員企業の理解を得て自由に店舗運営や商品開発をさせてもらっている」(田中)そうだ。産業がリノベーションされる場合、新たな人材の登場が必要であるのだが、「近江の麻」の現場では女性たちの活躍を抜きに語れない。

　二つには地域の埋もれた文化資源を再発見することの重要さを感じた。「野々捨」柄が地域に開かれた〈オープンリソース〉となって新たな商品開発の可能性が広がってきた点は実に興味深い。「近江の麻」は地域のお土産として購入され始めており、滋賀県湖東地区の麻織物産業が地域の誇り形成に役立っていることも分かった。次第に地域文化資源であるとの認識が広がってきたようだ。

　三つには海外展開は地場産業の事業者や職人に自信を取り戻させる効果がある。渡仏して機織実演を解説した西川が「パリで売れるとなれば新たに次々とつくらなくては、と職人が勇気づけられる」と筆者に語ったように、創作や製造の励みになる。パリでの販売が地域の新聞等に取り上げられて話題にもなる。

　四つには「野々捨」柄の産業化の契機が町立歴史文化博物館作成の図録『野々捨商店型紙』(愛荘町教委、2012)(写真収録2441枚)発行にあったことを忘れてはならない。ここに学術的な調査研究と産業化の間に有機的な連携が見出せる。

　「近江上布」や「近江の麻」が、これからいかにして産業振興やまちづくりの課題解決に貢献していくのかを見守っていきたい。

注
1) 経済産業省ホームページ。https://www.meti.go.jp/policy/mono_info_service/mono/nichiyo-densan/index.html（2019年11月14日閲覧）
2) 高島知佐子・山田太門「伝統工芸」文化経済学会＜日本＞編『文化経済学−軌跡と展望−』ミネルヴァ書房、2016、141頁を参照。
3) 松本茂章「伝統工芸品の海外進出をめぐる現状と課題−パリを事例に−」『日本文化政策学会第10回年次研究大会予稿集』2017、34-37頁。松本茂章「佐賀県・有田焼400年と海外進出の試み」『公明』2016年12月号、76-78頁。

4）松本茂章「自治体による対外文化政策の変容−兵庫県パリ事務所の事例分析−」『日本文化政策学会第8回年次研究大会予稿集』2014、138-141頁。

※**1**、**2**、**3**の事例報告は、松本茂章「滋賀県愛荘町・近江上布伝統工芸会館」『公明』2017年11月号の原稿、松本茂章「伝統工芸品の海外発信に求められるアートマネジメント人材に関する考察−近江上布の欧州進出を事例に−」『日本アートマネジメント学会第19回全国大会予稿集』（2017）の原稿をもとに、データを入れて新たに書き直したものである。渡仏調査は2017年8月28日〜9月9日に行った。帰国後の2017年9月12日と10月14日には近江上布伝統産業会館を現地調査した。さらに2019年4月22日〜23日には愛荘町役場、近江上布伝統産業会館、ウエスティ工業を訪れ、聞き取り調査を行った。

地域の商店街をアートで活性化する試み

松本茂章

1 商店街振興の概況

　本稿では、文化芸術を用いて商業地区あるいは商店街の活性化を図る事例を紹介することで、まちの可能性を探ってみたい。商店街の再生を抜きにまちづくりは語れないと思われる。

　筆者のような昭和生まれの世代にとって、商店街は愛着のある「生活の場」であるとともに、よそいきの服を着て出かける「ハレの場」でもあった。アーケードの下に大勢の人たちが行き交った。個人商店主の集まりなので、それぞれの店舗に個性があり、自由で楽しげな雰囲気が漂っていた。

　寛容性のある雰囲気が地域の多様性を象徴していたように思う。商店街の多様性は地域の様相を伝えるものだった。対して大型商業施設が各地の郊外に出店すると、商店街の役割は変容して衰退していく。寂れてシャッター銀座となった商店街が全国に見られるようになった。

　政府は商店街をどのように活性化しようと努めてきたのか？　経産省の有識者会議「新たな商店街政策の在り方検討会」の中間とりまとめ（2017年7月）によると[注1]、「商店街は今、未来志向の新しい商店街に変わるための分岐点に置かれている」と述べ、「地域において商店街は何のために必要で、どのような役割を担っていくべきか、商店街のことのみを見るのではなく、まちづくりの観点から基礎自治体、商店街の店主、地権者、住民が覚悟をもって真剣に考え、新しい時代に対応する商店街の形を見つけていくことが必要な時期にきている」と指摘している。[注2]

　中間とりまとめに掲載されたデータが興味深い。[注3]小売業の事業所数、従業員数、年間商品販売額、売場面積について、1994年と2014年を比較すると、売場面積が11％増えたのに対して年間商品販売額は27％減少している。従業員数も3％減少した。なかでも商店街は、1994年におけ

る年間販売額が67兆円、事業所数63万店、従業員数328万人だったのに、2007年には53兆円、43万店、294万人とそれぞれ減少した。このあと調査方法が変更になり接続しないとされているので、あくまでも参考なのだが、2014年では45兆円、28万店、215万人だった。

　商店街の課題を尋ねると、上位三つは「経営者の高齢化による後継者問題」64.6％、「集客力が高い・話題性のある店舗・業種が少ない、又は無い」40.7％、「店舗の老朽化」31.6％である。2015年度の空き店舗率は13.17％だった。今後の空き店舗の見込みは42.6％が「増加する」と答えた。

　中間とりまとめでは、これまでの商店街政策を振り返った。[注4] かつて、百貨店法や大規模小売店舗における小売業の事業活動の調整に関する法律（大店法）によって商業調整が行われてきた。道路整備が進むと大型店の郊外出店が増え、さらに駅前商店街は衰退していった。そこで1998年以降、商店街と大型店の共存・共栄を図る方針変換が行われ、まちづくり3法（中心市街地活性化法、大規模小売店舗立地法、改正都市計画法）が制定された。しかし郊外の土地においては用途地区指定が進まず、郊外大型店は増加した。2009年には「地域商店街活性化法」を制定。商店街を商機能の担い手にとどまらず、地域コミュニティの担い手に位置づけ、地域と一体になったコミュニティづくりの推進を図るようになった。2014年には、先述の3法を改正してコンパクトシティ政策との連携を強め、中心市街地活性化法において民間投資の活性化を図ったとされる。

　中間とりまとめには「商店街の空間としての再評価」という言葉が出てくる。「まちの資産として再評価し、コミュニケーションをつくる場として新しい価値を与えることで、新しい役割を発揮させることができるのではないだろうか」と述べている。[注5] さらに中間とりまとめでは四つを指摘した。すなわち、

① 商店街を公共空間の一部と捉え、エリア全体の公共空間を有効活用できる大きなビジョンを描き、エリア全体を変えていかなければならない

②今の人口やその構成、求める機能に合った最適な規模にダウンサイジングさせることも考え方として持っておく必要がある

③エリア全体の公共空間の有効活用のためには、これまでの商店街振興を担っていた組織にこだわらず、それぞれの活動に合った事業体を形成することが必要となる

④エリア全体の戦略を考え、マネジメントしていく組織や人を育てる

の4点である。

2 各地の事例

　内閣府地方創生推進事務局が2017年3月にまとめた「稼げるまちづくり取組事例集『地域のチャレンジ100』」では、北海道富良野市から沖縄県沖縄市までの100件の事例が紹介された。[注6]内訳は「空き店舗・古民家等を活用した起業・移住促進」30件、「伝統的な街並みを活かした集客拡大」16件、「観光需要を取り込む」試み17件、「地場産業を核とした」ケース6件、「健康長寿をテーマとした」もの7件、「コミュニティの賑わいづくり」24件である。

　「空き店舗・古民家等の活用」では長野県長野市の善光寺門前地域の取り組みが興味深い。民間が主導して空き店舗や空き家の活用を図っている。筆者が2013年に訪れた際には、デザイナー、イラストレーター、編集者、菓子職人、大学教員らが共同して築約100年の古い土蔵を借りてパブリックスペースを運営していた。[注7]「伝統的な街並み」では、特徴的な建物や商店を「小さなまちかど博物館」に認定して賑わいづくりを図った青森県黒石市の事例が紹介された。富山県高岡市では、歴史的街並みを活かした鋳物工芸体験型のストリートづくりに励む。「地場産業」では、岐阜県多治見市が陶芸をテーマとして商店街の再生を図った。兵庫県豊岡市では地場産業である鞄のブランド化と空き店舗再生を組み合わせて商店街の集客に努めている。「コミュニティ」では、北海道札幌市のまちづくり会社が、札幌駅前通地下歩行空間「チ・カ・ホ」において、アートプロジェクト等

を行い、通行者数を増やすなど、自律的なエリアマネジメントを図っている点が興味深い。筆者も 2016 年 12 月に現地調査した。[注8]

　この 100 事例のなかに浜松市・ゆりの木通り商店街が取り上げられた。ゆりの木通り商店街は、中小企業庁の「はばたく商店街 30 選 2016」の一つにも選ばれている。なぜ話題になっているのだろうか？

　ゆりの木通りは、JR 浜松駅の北西約 1km に位置する。東端の遠州鉄道（高架）から西端の連尺交差点まで、東西約 400m である。旧東海道（田町中央通り、国道 152 号線）に沿って道路沿いに 92 店舗が並ぶ。[注9] 旧東海道沿いの街路樹がユリの木であることが由来だ。ゆりの木通り商店街と呼ばれているが、通称であり、厳密に言えば三つの団体で構成される。東側は任意団体「田町東部繁栄会」で、中央は事業協同組合「浜松ショッピングセンター」、西側が任意団体「神明町繁栄会」である。

　ゆりの木通り商店街がピンチを迎えたのは 2009 年のことだった。理由は近くの地元百貨店「松菱」の閉店（2001 年）後、大手百貨店が出店する予定だったものの、2008 年のリーマンショックで 2009 年の出店断念を受けて男性向け洋服専門店が次々と閉店したからだ。2009 年に過去最低の 67 店舗まで減少したが、その後、現状の 92 店舗まで回復した。

　筆者は、同商店街が立ち直った主な契機は三つあると考えている。一つには東部繁栄会にある大型立体駐車場「万年橋パークビル」によるアート展開である。二つには浜松ショッピングセンターに加盟する商店経営者らが中心となって始めた手作り品バザールである。三つには老朽化したビルにアーティストやクリエーター系の若者が集まってきたことである。まずは駐車場を巡る物語から書き始めよう。

3 ゆりの木通りの万年橋パークビル

演劇稽古場として

　浜松市中心部の商店街・ゆりの木通り（旧東海道）に面した 10 階建て立体駐車場「万年橋パークビル」（172 台）には若者たちが集まってくる。

2018年2月9日（金）夜に訪れると、8階で劇団「カラクリマシーンズ」の団員が運動着で体操をしていた。このあと団員は同階東端の事務室に移り、英国女性歌手モリー・ケイト・ケストナーの曲を流して聞き入った。劇団代表の唐津匠（1973年生まれ）は「自動翻訳機能を使って日本語に直訳したあと自らの感性で意訳する。戯曲に接するセンスを磨きたくて」と話した。劇団は2011年4月から冬は週2回、春秋は毎夜、8階を稽古場兼荷物置場として使う。駐車場では50m走を繰り返し、砂袋を背負って1階から8階まで15回往復する。2012年9月以降は公演も行う。駐車場に寄せて「コンクリート・シアター」と題した。

　以前は公民館で稽古したが退室時刻が早かった。ここなら夜遅くまで使用可能だ。大道具や衣裳も置ける。唐津は「駐車場を管理運営する田町パークビル株式会社の社長さんが劇団を信頼してくださっている。僕たちも信頼を裏切らないように臨む。汚れたら床をワックスがけしたり水洗いしたり…。常にきれいにしてお返しする」と語った。相互の信頼をもとに場の管理に自律性が生まれた。

　俳優・道具担当・舞台監督の伊藤彩希（1986年生まれ）は「どの劇団も衣装・道具類の保管場所に困っているので本当に助かる」と感謝している。2009年、専門学校時代の後輩から同社社長を紹介された。初めて会って「風貌、いでたちからムーミンに登場する『スナフキン』さんだと思った」と振り返る。この縁から地元商店街のイベントに出演するように。2年後、社長から「車の少ない8階で稽古してもいいよ」と打診された。

仕掛けたのは「スナフキン」社長

　場を提供した社長は鈴木基生（1950年生まれ）である。静岡は鈴木姓が多いので「もとおさん」と呼ばれている。1869（明治2）年に創業した老舗繊維問屋の長男。慶応義塾大学経済学部を卒業後、東京の繊維会社勤務を経て25歳で同市内の家業を継ぎ50歳で廃業した。近年は、英国製の黒い帽子に着物と袴姿で出歩く。2005年に社長に請われたのは駐車場

の運営が実に微妙な時期だったからだ。

話は30年以上前にさかのぼる。同市都市整備部によると、中心市街地が賑やかだった1986年、市は民間から土地を借りて同駐車場を開業。駐車場（1〜8階）に加えて店舗（1階）、貸事務室（東側1〜8階）、住居5戸（9〜10階）がある。総事業費9億7100万円余。市が所有して直営したのは1〜8階の駐車場部分（7128m²）で、契約は30年間だった。当初の借地料年間2850万円が2006年には4628万円になって経営を圧迫したうえ、入庫台数も減って、最大には年間5280万円余（2009年度）の赤字を出した。市が借地料の減額を求めたもののまとまらず、調停に至っ

写真1　万年橋パークビルの外観（道路の向こう側）とゆりの木通り（手前）

写真2　アート事業が繰り広げられる万年橋パークビルの駐車場と移動式
店舗「キューブスケープ」。中央は鈴木基生社長

た。2006年の調停結果は賃料を年間3480万円への減額。2010年の同市第3次行革審答申では「土地賃貸契約終了時の2014年10月に駐車場部分の建物を処分する」ことが求められた。同年10月、市は1944万円で同社に駐車場を売却した。

基生は同通り東の任意商店街「田町東部繁栄会」の会長を務める。「ゆりの木通りは戦前、名門商店街で老舗も多かったが、空襲等で焼け野原になった。まちは楽しいところであってほしいと願い、駐車場の使われていないスペースを活用して、まちを盛り上げようと思った」と語った。

駐車場の活用策

8階をフリースペースとした活用策の第1弾は同劇団の稽古場利用だった。次第に口コミ等で広まり、今では食材を並べたマルシェ、映画祭、現代美術展などが盛んに行われている。建前上、使用料は「8階を1日使って1万円」と決めたものの、「要相談」だそうだ。「お金をもらうのは相談5件のうち一つぐらいかな」と基生は苦笑しながら打ち明けた。スペース賃貸収入は月5万円程度なのでお金稼ぎが目的ではない。「『駐車場をこんなふうに使えるよ』という若い人たちのアイデアを知りたい」のだ。

たとえば2017年4月に開設された「キューブスケープ」。7階の一角にガラス張りの移動式店舗（2.3m四方）が置かれている。床にキャスターがついており、「荷車」と位置づける。2基を月2万円で貸す。駐車場の月極め1区画料金と同額だ。このほか各階東側にある貸し事務室も空いていれば俳句の例会や浜松交響楽団の会合に提供する。先述の劇団と能楽団体の有志が連携して、駐車場で能と現代演劇のコラボ作品を上演したこともあった。このように万年橋パークビルは民間文化センター的な場所に成長してきた。筆者が勤務する大学の学生たちも映画祭上映の場としてお世話になったことがある。駐車場ではパーティーも可能だ。

同市建築行政課長の大村兼資（1960年生まれ。2019年4月から同市都市整備部長）によると、2014年6月、市と消防局が合同査察した。「現場

を見たが、主たる用途は駐車場であり、常設のイベントとは認められなかった。常設なら建築基準法に違反するが、単発のイベントなら目くじらを立てず、違法性を問わなくてもいい案件だと判断した」と言う。大村は「移動式店舗も、キャスター付きなので『軽車両』が駐車している形として理解できる。基生さんが地域活性化のためにやっていることが分かった。地域の人が一生懸命なことに水を差すことはしない。くれぐれも安全には十分に気を付けてください、とお願いしている」と話した。

こうした試みが積み重なって話題を呼び、結果的に年間の駐車台数を増やした。2010年度は入庫台数2万990台だったが、2016年度は6万8098台に達した。6年で3.2倍に増えた。家族とととともに同ビル9階の住居に引っ越してきた基生は「原因は分からない。駐車場のイベントが増えたからだろうか」と笑顔で語った。

多様な人々の出会う場として

同駐車場の1階にコミュニティスペース「黒板とキッチン」が2015年6月に誕生した。広さ40m²。机二つ、いす30脚。そして台所を備える。毎日開き、会議、勉強会、料理教室、利き酒会など多様に使われ、年間約4000人が利用する。上記駐車場の利用希望も受け付ける。経営する株式会社「大と小とレフ」の取締役、鈴木一郎太（1977年生まれ）は美術家を志して渡英、ロンドン芸術大学のセントラル・セント・マーチンズカレッジで修士号を取得した異色人材だ。髭を生やした一郎太は「多様な人たちが集まることによってビルと商店街の雑多さに拍車をかけたかった。キッチン使用は200円。スペース貸切は平日昼1時間1500円。一応の料金はあるけれど貸しスペースではない。仕掛けて何かするのではなく、人々が勝手に面白いことをする場に」と狙いを話した。飲み物は持参するか台所でつくる。壁には黒板（縦1.5m、横7.2m）がある。民間の公民館あるいは大人の学校みたいだ。

駐車場会社から毎月20万円の委託費を得て運営する。駐車場管理の人

件費二人分で、管理業務のほか同キッチンのスタッフも兼ねる。一郎太は「10年近く暮らしたロンドンは世界各地から人が集まり、地球規模の多様性がある。価値観の異なる人々が同時にいる。このスペースも含めて駐車場全体が異なる価値観の者同士が出会う場になれば」と言い、だれでも入れるように玄関をガラス張りにした。店先では地元産の野菜を売る。

　同駐車場の活動が発火点となり、「ゆりの木通り」には店舗が戻って来た。2009年で67軒だったが2019年には92軒にまで増えたのだ。2008年夏から始めた手作り品バザールは2016年から年2回開催になった。2日間で1万4500人も詰めかける。

　こんな面白いところが浜松にあるなんて…。そこで筆者は、会長を務める日本アートマネジメント学会第20回全国大会（2018年12月）を本務校で開いた際、関連行事「アートの最前線3days」を8階駐車場で開催した。開放的な空気がとても好評だった。

４ ゆりの木通り手作り品バザールと KAGIYA ビルの再利用

ゆりの木通り手作り品バザール

　2019年5月11日（土）と12日（日）の2日間、ゆりの木通りの歩道には色鮮やかなパラソルを立てた仮設店舗200店が出店して延べ1万4000人で賑わった。第15回「ゆりの木通り手作り品バザール」の光景である。スタンプラリーの「ゴール」が先に紹介した「黒板とキッチン」だったので、同店前には景品をもらう人々の列ができた。

　主催は同バザール実行委員会（鈴木基生委員長）。商店経営者らが手弁当で実行委員を務め、当日はおそろいの黄色いジャンパーを着て運営する。1回当たりの開催経費は50万円程度とささやか。行政の補助金頼みではなく、出店者から参加費を集めて賄う。場所によって1日当たり500円、1000円、1500円の3種類を設定し、調理販売の場合は2000〜3000円だ。

　2008年に第1回バザールが行われた際は約60店の参加にとどまっていた。以降出店数を増やしながら10年余り続いている。前身は商工会議

所の七夕まつりの一環行事だった「ミッドナイトフェスティバル」。集客が難しく、独自性を出すために手作り品バザールに切り替えた。当初は年1回開催だったが、2016年から年2回に増やした。

発案者の一人である織田里香（1961年生まれ）は第2回から第14回まで実行委員長を務めたキーパーソンである。「明治5年創業」との看板を掲げたインテリア用品販売・内装工事・カーテン取付の伝統店「カスミヤ」に名古屋市から嫁入りした。夫は彫刻家で、県立浜松工業高校の美術教諭なので、織田が代表取締役を務めて店を切り盛りしている。

織田はバザール当日、店先にある歩道の木製ベンチに座り、筆者の聞き取り調査に応じた。一つのブロックの責任者を務めたので、あちこちから相談の声がかかり、精力的に動く。とても忙しく、とても早口だ。「バザールは品物も手作りだけれど、運営も手作り。会計、運営などは商店の女性らで構成している。男性は細かいことが苦手で、女性らがきめ細やかに運営してきた」と話した。丁寧に地図を作成したり、ボランティアの受け入れ準備を整えたり、景品を何にするか、などの調整に励む。出店希望が多い理由は、外注しないで手作り運営なので、出店参加費が安いうえ、広範囲から客が集まるためだという。「業者さんに依頼すると、出店者と商店主は話をしなくなる。接点がなくなる。バザールの出店者こそ、商店街にとって、将来の顧客になってくれる可能性がある」と語った。

織田の店「カスミヤ」は事業協同組合「浜松ショッピングセンター」に所属している。「商店街の会合は年配の男性ばかり。女性は加わらない」（織田）のに対して、手作り品バザールの実行委員は女性が中心である。

バザールのおかげで、ゆりの木通り商店街の名前が知られるようになった。織田は「お得意さんにカーテンを取り付けに出向いた際、『田町のカスミヤです』というと、『バザールのゆりの木通り商店街ですね』とおっしゃった。商店街の名前が定着してきたことに驚いた」と打ち明けた。〈バザール効果〉である。織田は何度も「うちの商店街は…」と筆者に語った。三つある商店街のうち、自ら所属する浜松ショッピングセンターのことな

のか？　と確認したところ、「私が『うちの商店街』という場合は、ゆりの木通り商店街のこと」と明確に答えた。バザールを通じて三つの商店街が一体感を持つようになったことも〈バザール効果〉なのだ。

一時は衰退した商店街

　織田が「まいこちゃん」と呼ぶのが大石麻衣子（1972 年生まれ）だ。20 代は東京に出たが、結婚後に帰郷。実家である呉服店「いしばし」を手伝っている。1920（大正 9）年創業の老舗だ。バザール本番 2 日前の夜、先述の「黒板とキッチン」内で話を聞いた。

　大石が語る古里・ゆりの木通りの歴史が興味深い。「私が高校生までは『まちに行く』という言葉があった。浜松市の中心街でウィンドウショッピングをしたり、遊んだり…。ゆりの木通りも『まち』に含まれていた。その後、西武百貨店、ロフト、丸井が撤退した。地元百貨店「松菱」も 2001 年に閉店。その後建物が取り壊され、今は更地になっている。商店街の人たちは、景気の悪さを、行政や松菱閉店のせいにしてきた」と振り返る。

　大石は「ゆりの木通り商店街が盛り返してきたきっかけは、鈴木基生さんがこのまちに入ってきたこと」と断言。さらに「静岡文化芸術大学が 2000 年に開学したことも影響した」と言葉を添えた。同パークビル社長の鈴木基生が学生と知り合いになり、現役学生や卒業生が空き店舗で展示会を開けるように努めたり、各店舗のウィンドウにアート作品を展示できるように紹介してあげたりした。「基生さんはふぁーと店にやって来て、頼みごとをするので、つい『ハーイ』と応じてしまう」と大石は苦笑した。

　商店街というと通行量との関係が取りざたされるが、大石は「商店街の活力は通行量だけでは測れない。各店舗がなじみ客を増やすことが大切。流行っている店は、経営者がお客さまの相談を聞くことができる」と指摘した。そしてたまり場の重要性にも触れた。「バザールの実行委員会は万年橋パークビル 8 階の会議室で開いたあと、1 階に下りて『黒板とキッチン』で雑談する。細かい打ち合わせをするうちに愚痴も出る。この店内は

人と人の距離が近く、一体感が生まれる。店内で知り合った商店街以外の人がバザールを手伝ってくれるようになる」と効用を語った。大石が担当する業務の一つは運営ボランティアの取りまとめである。高校、専門学校、大学合わせて現在9校60人が参加するそうだ。

　同商店街は以前、中高年層が中心だったものの、近年は10代、20代が増えてきた。若い層が増えたのは万年橋パークビルでマルシェやアートイベントが増えたからだ。さらに次に紹介するKAGIYAビルの存在がある。

写真3　大勢の人たちでにぎわう「ゆりの木通り手作り品バザール」の風景

写真4　レトロな雰囲気のKAGIYAビルはゆりの木通りに面して建っている

KAGIYA ビル

　築50年以上の古い4階建てビルがゆりの木通りの西端に位置する田町交差点の角地に建っている。青緑の外壁、鉄製の窓枠、共同トイレ…。なんともレトロな雰囲気だ。「KAGIYA ビル」という。最近注目を集める建物で、先に触れた日本アートマネジメント学会第20回全国大会の関連行事として同ビルを視察ツアーした際も話題になった。

　きっかけは、よく知られる写真家・映像作家の若木信吾が2012年、同ビル2階に国内外の写真集などを販売するセレクトブックショップ「BOOKS & PRINTS」を出店したからだ。若木は1971年、浜松市に生まれた。米ニューヨーク州・ロチェスター工科大学写真学科卒業。「ザ・ニューヨーク・タイムズ・マガジン」や「SWITH」などで活躍。2014年度には浜松市文化奨励賞を受賞した。

　誘致した仕掛け人は同ビルを所有する丸八不動産（本社・浜松市）2代目社長、平野啓介（1979年生まれ）である。先祖は製材業。父が不動産業を興した。社長就任から間もない2012年、平野はKAGIYA ビルを取得した。KAGIYA ビル、カラオケ店、ふとん店という三つの建物が一つの構造体になった共同建築で、戦後まもなく資材が不足しているなか、鉄筋コンクリートの建物を建てるために、当時は全国各地で建てられたという。「柱を共有しているので、他の建物を買収するか、一緒に再開発するか。当分は現状のままなので使途を検討した」（平野）。1階には喫茶店や洋服店が営業していたが、2〜4階は空いた状態だった。そこで若木を誘った。平野は「若い人が集まる文化的なハブをつくりたいと考えた。だれがアイコンになるのか。それは浜松出身の英雄である若木さんだと思った」。交渉したところギャラリーを求めていることが分かり、同ビル4階に新設した。平野の出した条件は「2階は割安で貸す。4階ギャラリーは若木さんと共同運営する。そして月に1回イベントをやっていただく」ことだった。こうして4階ギャラリーでは若木が企画したトークイベントや絵画展等が定期的に開かれるようになった。古びた外観が「絵」になるので、

東京の若者向けメディアに紹介された。首都圏でも話題が広がった。

平野は「KAGIYA ビルに若者の入居希望が相次いだ。人が人を呼んだ。おかげで空室がすべて埋まった」と語る。〈若木効果〉である。入居する際、クリエーター系の若者たちは自ら改装できるので、同社も改装費用（イニシャル・コスト）を少なくして、その分家賃を安くした。原状の回復を求めなかった。「アートや文化の活動を続けるためには、儲かっていることが前提。幸い、KAGIYA ビルは収支がプラス」と平野は話した。

KAGIYA ビルとゆりの木通り手作り品バザールは直接つながっているわけではない。しかしバザール実行委員会によると恩恵があるという。織田は「KAGIYA ビルに入居した若い経営者はパソコンやウェブの技術が高く、バザールのホームページ更新や出店申し込みシステム改善などをお願いできる。大助かり」と笑顔で話した。大石は「若木さんのおかげで、KAGIYA ビルが東京の雑誌などに取り上げられるようになり、ゆりの木通りに遠方から若者がやって来るようになった。外観を撮影する若者がいる。KAGIYA ビルの壁に絵を描くなど、まちの雰囲気が変わった」と証言した。

5 浮かび上がってきたこと

万年橋パークビル、ゆりの木通り手作りバザール、そして KAGIYA ビルという三つの動きは、申し合わせて図ったものではない。筆者の見る限り、それぞれが独自に取り組んできたものだ。各自が勝手気ままに繰り広げる方が多様性と継続性を担保できると考えられる。

ゆりの木通り商店街は話題を集めているので、全国各地からの視察が相次ぐ。しかしそう簡単に真似はできない。万年橋パークビルの鈴木基生、黒板とキッチンの鈴木一郎太、手作りバザールの織田里香や大石麻衣子、KAGIYA ビルの若木信吾と平野啓介…などの人材がそろう。偶然なのか必然なのか、いずれにしても、ゆりの木通りで起きた化学反応が興味深い。

もう一度、冒頭で紹介した経産省の「新たな商店街政策の在り方検討会」

による中間とりまとめの内容を思い返そう。一つに「商店街を公共空間の一部と捉え、エリア全体を変える」点については、ゆりの木通り手作り品バザールが当てはまる。商店街用に建設された万年橋パークビルも単なる駐車場にとどまらず、劇団の稽古場や公演場所、マルシェ利用、映画祭の会場などの文化芸術活用で再生された。

　二つには「エリア全体の公共空間の有効活用のために事業体を形成することが必要になる」点については、手作り品バザール実行委員会が該当する。第2回から第14回まで実行委員長を務めた織田里香が「商店街の会合には年配の男性商店主が主に参加するが、バザール実行委員会は商店の女性らが中心」と話していたように、従来の商店街組織とは別の新たな組織である。女性たちが緩やかにつながり、「黒板とキッチン」で作業を行い、愚痴を言い合う。その「緩やかさ」が興味深い。

　三つには「エリア全体の戦略を考え、マネジメントしていく組織や人を育てる」点については、これまで登場した基生、一郎太、織田、大石、若木、平野を思い浮かべた。

　なかでも着物に袴姿、帽子の「もとおさん」は異色の人物だ。浜松市の商店街担当職員は「基生さんは気持ちが若く、学生の使い方がユニーク。若者を野放しにしてご自身の価値観を押し付けない。自由に『やりたいこと』をやらせてあげる。行政の補助金制度を教えてあげる。だから卒業しても次々と後輩がやって来る。なかなかできないこと」と話した。

　自らの店や建物だけでなく、商店街を公共空間として捉えていけるのかが、これからの分岐点になるのかもしれない。そのとき文化や芸術が大きな要素になる可能性がある。

注
1）経済産業省のホームページ。「新たな商店街政策の在り方検討会」中間とりまとめ。https://www.chusho.meti.go.jp/koukai/kenkyukai/arikatakentou/2017/170705torimatome.pdf（2019年11月14日閲覧）
2）同中間とりまとめ、30頁
3）同中間とりまとめ、2-12頁
4）同中間とりまとめ、18-19頁

5）同中間とりまとめ、20 頁

6）内閣府地方創生推進事務局ホームページ。https://www.kantei.go.jp/jp/singi/tiiki/
　　seisaku_package/naiyou.html（2019 年 8 月 12 日最終閲覧）

7）松本茂章『日本の文化施設を歩く　官民協働のまちづくり』（水曜社、2015）
　　134-137 頁

8）松本茂章「札幌市の札幌駅前通り通地下歩行空間」『公明』2017 年 3 月号、
　　76-78 頁を参照。

9）店舗数は田町東部繁栄会長の鈴木基生による。（2019 年 5 月 9 日）

※万年橋パークビルの事例報告は、松本茂章「浜松市・ゆりの木通りの万年橋パーク
　ビル」『公明』2018 年 4 月号の原稿をもとに加筆修正したものである。鈴木基生と
　鈴木一郎太に対する聞き取り調査は 2017 年 11 月 9 〜 10 日に行ったほか、浜松市
　職員には同年 12 月 5 日、劇団「カラクリマシーンズ」団員には同年 12 月 6 日に
　話を聞いた。さらに 2019 年 5 月 9 日〜 11 日には、鈴木基生、織田里香、大石麻
　衣子、平野啓介に聞き取り調査を実施した。

第4章
多文化共生・国際交流

4-1
文化芸術活動を通じた
多文化共生の取り組み

池上重弘

■1 文化芸術活動と外国籍住民

　文化芸術振興基本法を改正して 2017 年 6 月に成立した文化芸術基本法では、文化芸術に関する施策の推進に当たり、観光、まちづくり、国際交流、福祉、教育、産業その他の各関連分野における施策との有機的連携を求めている。しかしそれに続く条文をよく読むと、第 15 条の国際交流等の推進では日本の文化芸術の海外に向けた発信が強く意識されており、日本国内に住む外国人[注1]との文化芸術を介した交流は視野の中に含まれていないようだ。また基本理念を定めた第 2 条のうち、3 では「国民がその年齢、障害の有無、経済的な状況又は居住する地域にかかわらず等しく、文化芸術を鑑賞し、これに参加し、又はこれを創造することができるような環境の整備が図られなければならない」と述べており、日本社会の構成員のうち「国民」ではない人々、すなわち日本に住む外国籍の人々は念頭には置かれていないことがわかる。

　しかしながら、今日の日本では地域による居住比率の濃淡こそあれ外国人住民の存在はけっして珍しい存在ではない。法務省が発表する在留外国人統計によれば、2018 年 12 月末の在留外国人数は約 273 万人に達している。[注2] その数を全国 47 都道府県の人口の順位に位置づけるとすれば、12 位の広島県（約 282 万人）と 13 位の京都府（約 260 万人）の間に相当する。[注3]

　欧米の外国人政策は、出入国政策と社会統合政策の二つの柱からなって

いる。出入国政策とは、外国人受け入れの量的・質的コントロールを指す。つまり、どのような外国人をどのような規模で、どのような条件で受け入れるかを定める政策である。外国人労働者や移民として受け入れる人々について、国籍による制限を設けるか否か、受け入れ人数を制限するか否か、受け入れる場合に滞在許可年数や就業範囲の制限を設けるか否かといった点が出入国政策によって決められる。それに対して社会統合政策は、受け入れた外国人（やその子孫）に対する政策と受け入れ社会側に対する政策から構成される。入国した外国人を社会における対等な構成員として迎えるにはどうすればよいかを考えて展開されるのが社会統合政策だが、受け入れ側に対する働きかけも含まれる点に注意が必要である。欧米で社会統合政策と呼ばれるものが、日本における多文化共生政策とほぼ一致するとみなしてよいだろう。

　社会統合政策（多文化共生政策）の課題群としては、①雇用対策や労働保険制度などの労働政策、②医療や年金、生活扶助、住宅保障などの社会保障政策、③子どもに対する教育や大人に対する公用語習得教育などの教育政策、そして、④人権尊重や異文化理解促進などの受け入れ社会側に対する政策といった領域が挙げられる。多文化共生を推進する上で文化芸術が力を発揮するのは、このうち特に④に挙げた受け入れ社会側に対する政策の領域がまず考えられる。一般に 3F（Food, Fashion, Festival）と称される食や民族衣装、イベント等の領域で、しばしば表面的な異文化交流として揶揄されるが、多文化共生のとっかかりとしては有用である。しかしそれだけではなく、外国人当事者が文化芸術活動を通じて自己のアイデンティティに関する認識を深めたり、自己効力感を高めたりする側面も重要である。

　欧米の創造都市論と文化的多様性について論じた飯笹は、創造性の源泉として重視されるのは文化的マイノリティや移民の存在といった文化の多様性であり、実際の政策でも移民やマイノリティの社会統合が課題となり、かれらの活力をどう社会にいかしてゆくかという観点が組み込まれている

と指摘する。[注4] 日本においても、移民や外国人住民の存在を地域の力としていかしてゆこうという考え方が少しずつ広がってきている。たとえば浜松市は 2012 年度に策定した浜松市多文化共生都市ビジョン[注5]（2013 年度～ 2017 年度）で、「多様性を生かした文化の創造」や「多様性を生かした地域の活性化」といった方向性を明確に打ち出し、2018 年度からの 5 年間をカバーする第 2 次ビジョン[注6]でもその方向性は引き継がれている。

　本節では、日本人と日本に住む外国人が連携して行う文化芸術活動に焦点を当て、そうした活動が多文化共生を推進する上でどのような役割を果たしうるのかを考察したい。

2 各地の動き

川崎市の「劇団ホランイ」

　まず在日コリアン集住地域として有名な川崎市・桜本の「ふれあい館」で行われている「劇団ホランイ」の活動に触れたい。[注7] 在日コリアンに対する差別や偏見という現状を克服するため、「劇団ホランイ」は在日コリアンがもっている想いや背景や生活を知ってもらい、「知らなかったことを知れてよかった」と思えるきっかけづくりになることを目的に、1995 年度から 2007 年度までに 550 件以上の学校訪問・文化公演を実施した（活動は現在まで続いている）。[注8] 彼らの劇は、韓国・朝鮮の民話「三年峠」を題材にする。これは「転んだら三年きりしか生きられない」と言い伝えられている三年峠で誤って転んでしまったハラボジ（おじいさん）が救済される民話で、ハラボジの苦境にみんなが関心を持って励まし助けようとするところと、「一度転べば三年生きる、二度転べば六年生きる」と、とんちを使って苦境をたくましく克服していく民話のモチーフが、在日コリアンの置かれた厳しい現実の克服にぴったりだと考えられて題材に選ばれた。

　「劇団ホランイ」では、これをマダン劇の形態で演じる。マダンは韓国・

朝鮮語で「広場」を意味するが、マダン劇とは朝鮮半島に伝わる劇の手法で、「観る人」が劇に参加していけるように客席を円形に設けることで「演じる人」と「観る人」の垣根を低くし、「観る人」が様々な形で劇に介入できるように工夫をこらす。「劇団ホランイ」の「三年峠」は在日コリアンのみならず、日本人やアルゼンチン人の保育士など様々な人によって演じられる。劇中のわらべ歌の時に子どもたちがマダンに誘い入れられて参加したり、劇後のワークショップなどを通して観客が劇に参加できる仕掛けが多く盛り込まれている。この「三年峠」の劇を通して、「あっていい違い」としての「文化」を認め合うことの大切さが、子どもたちにストレートに響いていくことを子どもたちの感想や言葉から実感できたという。

浜松カップ　フェスタ・サンバ

　次に筆者の勤務する静岡文化芸術大学がある浜松市内の事例を二つ紹介したい。浜松市では輸送機器関連の製造業現場を中心に外国人労働者、特にブラジル人が数多く就労している。2008年のリーマンショック以降、浜松市でもブラジル人が減少し、フィリピン、ベトナムなどアジアからの労働者や技能実習生が増加しているが、ブラジルをはじめとする南米系外国人については、滞在の長期化や家族滞在の増加など定住化傾向が顕著であり、ここ数年はブラジル人も再び微増に転じている。^{注9)}

　5–1で松本も言及しているように、浜松市では、2012年から「浜松カップ　フェスタ・サンバ」が毎年秋に開催されている（2018年は台風の影響で中止）。^{注10)} このイベントは、全国最多のブラジル人が居住する浜松市の特徴をいかして「多文化共生都市・浜松」を全国に発信するとともに、日本人市民と外国人市民の交流促進を図ることを目的としている。浜松市における多文化共生施策の立案部局である国際課内に実行委員会事務局が置かれ、市を挙げての取り組みとなっている。直近の2017年は、10月28日(土)に市中心部の目抜き通りで開催され、約1万6000人が来場した。浜松市内のみならず全国各地からサンバチームが出場して順位を競い、市

長や在浜松ブラジル総領事館関係者からトロフィーを受け取る。出場チームは多くの場合、ブラジルと日本人の混成チームで、ペルー人やフィリピン人のチームが出場することもある。

　このようにブラジル文化に端を発するサンバがベースになりながら、多様な文化的背景を有する人々が集う時空間を創出し、「多様性を生かした文化の創造」や「多様性を生かした地域の活性化」といった浜松市多文化共生都市ビジョンの理念が可視化される機会となっている。

浜松市のミューラル・プロジェクト

　1990年代に急増した南米系移住者の子どもたちの世代（以下、第二世代）がいま、20代から30代にさしかかろうとしている。南米で生まれ親に連れられて来日した者、日本で生まれた者など様々だが、その多くは日本の教育を受け、日本社会で育った。親世代とは異なる環境で成長した若者たちの中には、自らの持つ文化的背景を十全に生かして日本社会とエスニック・コミュニティをつなぐ活動を展開する者も出てきた。[注11]

　浜松市における第二世代による最初の文化芸術発信は、浜松NPOネットワークセンター（以下、Nポケット）が2003年に展開した「ミューラル・プロジェクト」だった。[注12] 前年の2002年にNポケットが浜松市で開催した外国人教育支援全国交流会において、外国人の子どもの不就学・不登校問題の解決には、子どもたちが将来に希望を持てるようなロールモデル（「あの人のようになりたい」という模範、手本）が必要との認識が共有された。そこで、外国人高校生リーダー養成を目的に、公立高校に進学した外国人生徒に呼びかけ、集まった9人のメンバーの思いをミューラル（壁画）というコミュニティ・アートの手法を使って地域に伝えることにした。テーマは「浜松に生きる希望と、乗り越えたこと」。実際は建物ではなくベニア板を組み合わせた可動式の「壁」に絵を描き、浜松市内をはじめ、国立民族学博物館での特別展「多みんぞくニホン－在日外国人のくらし」（2004年）など各所で展示した。作成の過程で日本人の大学生や高校生と

の協働作業もあり、若者世代のメッセージを強烈なビジュアルイメージで日本社会に伝えることになった。

　Nポケットではその後、2004年と2005年の2回、「わかものたちの多文化共生　全国交流会」を開催し、若者たちの交流を促進するとともに、彼らの提言をまとめて日本社会に向けて発信した。「ミューラル・プロジェクト」に参加した第二世代の若者たちがこれらの全国交流会でも主導的役割を担った。また、メンバーの中には多文化共生と福祉分野にまたがるNPOを主宰するなど、多文化共生活動の推進役となって活躍する者も出てきた。このように、ミューラルという文化芸術手法を用いた発信が南米系の第二世代の若者たちにとってエンパワーメントの機会となったのである。

③ 大学における文化芸術活動と多文化共生

静岡文化芸術大学の定住外国人学生たち

　ここでは文化芸術活動による多文化共生推進のメイン事例として、静岡文化芸術大学の学生たちが中心となって行っている取り組みを紹介したい。

　先述のとおり、1990年6月の改正入管法施行で日系人受け入れが始まったことを契機に、浜松市ではブラジルをはじめとする日系人が増加した。それから30年近い年月が経過したにもかかわらず、ブラジル人の子どもたちの教育をめぐっては数多くの課題が依然として指摘される。たとえばブラジル人の集住する基礎自治体によって2001年に設立された外国人集住都市会議では、初回以降一貫して教育をめぐる課題が主要テーマに位置づけられている。[注13]

　日本におけるブラジル人の教育達成水準の低さは他国籍の外国人と比較しても顕著であり、2000年の国勢調査では留学生ではないブラジル人大学生の存在はほぼ皆無だった。[注14] しかし、ひと世代が入れ替わる20年から30年ほどの時間の流れのなかで、高校進学を果たし、さらには大学にまで進学するブラジル人の子どもたちも、その数はわずかながら確実に増加してきている。[注15] 留学生試験を受験して入学してくる留学生と異な

り、多くの大学では通常の試験を受験して入学してくる定住外国人学生[注16]を体系的に把握していないが、静岡県西部地域の大学に対する調査結果からは定住外国人学生が増加している様子がうかがえる。[注17]

　2000年度開学の静岡文化芸術大学は、浜松市の中心部に位置する。開学当初は学校法人が運営する私学の形態だったが、2010年に公立大学法人化され静岡県立の大学となった。文化政策学部（定員210名）とデザイン学部（定員110名）の2学部からなり、1学年の定員は両学部合わせて320名と小規模である。開学間もない頃から、文化政策学部の国際文化学科には、毎年1名程度、フィリピン籍やベトナム籍の学生が入学していた。しかし、日本で育ったブラジル人学生がコンスタントに入学してくるようになったのはここ10年ほどのことである。ブラジル人の最初の入学者は2006年度に国際文化学科（当時は定員100名）に入学した学生だった。1年おいて2008年度にはデザイン学部に2名のブラジル人学生が入学した。2010年代になってからはブラジル人をはじめ、フィリピン人、中国人など毎年ほぼ3〜5名の定住外国人学生がコンスタントに入学してくる。2010年代後半は各年度、十数名の定住外国人学生が在籍する状況が定着している。[注18]

フェスタ・ジュリーナ na SUAC[注19] 2014

　ブラジルでは聖人を祭るフェスタ・ジュニーナ（6月の祭り）が6月の風物詩となっている。参加者は田舎風の装束で踊りを楽しむ。ブラジルでは年中行事の一つとして行われており、ブラジル人市民の多い浜松市内でもブラジル人学校やカトリック教会、外国人学習支援センター等で毎年開催されている。

　2014年7月、静岡文化芸術大学では開学以来初めて、日伯交流を目的としたイベントとして、学内の競争的資金であるイベント・シンポジウム開催費の助成を受けて、フェスタ・ジュリーナ na SUAC（SUACにおける7月の祭り、以下「フェスタ・ジュリーナ」とする）を実施した。[注20]

市内の他団体が開催する類似イベントとの日程重複を避け、6月ではなく7月に開催することにしたため、「フェスタ・ジュリーナ」と称している。

　開催企画を持ちかけてきたのは定住ブラジル人学生の嶋津縁であった。大学の費用を使うイベントとして実施するにあたり、教員は監修する立場として以下の三つの課題を提示した。第一は日本人にブラジル文化を知ってもらうこと、第二はブラジル人住民、ブラジルにルーツを持つ子どもやその保護者に日本の大学、特に静岡文化芸術大学を知ってもらうこと、そして第三は日本で育ったブラジルにルーツを持つ学生の存在やその活躍ぶりを広く社会に知ってもらうことであった。

　約30名の学生実行委員のうちリーダーとなった宮城ユキミを含む8名の定住ブラジル人学生が中心的役割を担い、チラシや当日配布パンフレットも日本語とポルトガル語の二言語表記とした。

　メイン会場となった静岡文化芸術大学の出会いの広場には、ブラジルでのフェスタ・ジュニーナと同様に、原色の三色旗をモチーフにした会場装飾が施された。ブラジルのフェスタ・ジュニーナでは、男性はチェック柄のシャツに麦わら帽子、女性はチェック柄のワンピースに三つ編みといった、田舎風の装束を身にまとうのが一般的だが、学生実行委員もそれに則った服装で参加した。

　当日は以下の三つのプログラムがメインとなった。第一は、来場者が一体となって踊り交わすダンスである。午前の部のクアドリーリャ（写真1）というダンスでは、大学が招待したブラジル人学校エスコーラ・オブジェチーボ・デ・イワタ（静岡県磐田市）の生徒たちと学生実行委員会のメンバーが手をつないだり、輪になったりして、フォークダンスのような踊りを楽しんだ。日本人学生の実行委員にとってクアドリーリャは初めての経験だったが、ブラジル人市民によるポルトガル語の司会とリーダーの宮城ユキミによって通訳された内容を聞いて、見よう見まねながら、笑顔を浮かべて踊り交わしていた。また、午後の部の最後には、来場者も自由に参加してリボンダンス（写真2）を行った。赤、白、黄色、緑の4色のうち

いずれか1色のリボンを手に持って、一人ずつそれぞれが反対回りに動きながら、中央のボールにリボンを巻き付けてゆくダンスで、踊り終えると4色のリボンが織りなすポールが出来上がる。言うまでもなく、赤と白は日本の国旗、黄色と緑はブラジルの国旗のシンボルカラーであり、踊りを通じて日伯交流を象徴していた。

　第二は、ウィラプル・プロジェクトによるブラジル音楽のミニコンサートである。ウィラプル・プロジェクトは浜松市在住のブラジル人音楽家ナタナエルが率いる団体で、ブラジル人の若者が活動の中心となっている。日本人市民にも開かれた演奏機会が少ないことから、大学の地域連携活動の一環として、音楽室でのミニコンサートを開催した。聴衆の多くは出演

写真1　クアドリーリャ（2014年）

写真2　リボンダンス（2016年）

者の関係者だったが、約50名がアコースティック音楽やボサノバの演奏に耳を傾けた。

　第三は、静岡文化芸術大学に在籍する定住ブラジル人学生たちの案内によるバイリンガル・キャンパスツアーである。静岡文化芸術大学ではオープンキャンパスの折などに受験生を主な対象とするキャンパスツアーを行っているが、日本語での案内であり、外国人は対象として想定されていない。そこで、ブラジルにルーツを持つ子どもやその保護者に日本の大学について理解を深めてもらうため、イベントに来場したブラジル人を対象に日本語とポルトガル語の両言語で説明するキャンパスツアーを企画した。当日は土曜日で実際の授業や演習の様子を見学することはできなかったが、図書館・情報センターや教室を案内し、定住ブラジル人学生たちの生の声で大学での学びや入試について説明すると同時に、保護者の関心が高い授業料及びその減免制度や分割納入制度、奨学金についても簡単な説明を行った。

　これらの他に、ブラジルに関する展示と食文化体験ブース、そしてブラジルの遊び体験屋台を用意した。展示ではイベントの来場者にブラジルや日伯関係について知ってもらうことを目的に、静岡県が制作した説明パネルを展示し、会場奥の壁をスクリーンにして映像を上映した。食文化体験ブースでは、ポン・デ・ケージョ（チーズパン）やコシーニャ（ブラジルコロッケ）などブラジルの軽食とブラジルを代表する炭酸飲料であるガラナを無償で提供し ブラジルの食文化の一端に触れてもらった。また、ブラジルの遊び体験屋台では、目隠しをしてロバの絵の臀部に尻尾をつけるゲームや、ボードに描かれたピエロの口にボールを投げ入れるゲームなど、ブラジルの子どもたちになじみの深い遊びを用意した。当日は晴天に恵まれ、約200人の来場者があった。日本のメディアでは地方紙2紙、地元のケーブルテレビ、ポルトガル語メディア、さらに地元の高校の放送部による取材もあり、地域メディアの関心の高さがうかがえた。

2016 年と 2018 年のフェスタ・ジュリーナ

　その後も 1 年おきにフェスタ・ジュリーナを開催している。2016 年と 2018 年は予測不可能な天候への配慮から屋内の学生食堂を会場に設定した。いずれも 300 名ほどの来場者があった。屋外での開放感は損なわれたものの準備は容易になり、踊りを楽しむ一体感は増した。

　2016 年は定住フィリピン人学生が実行委員会に加わったこともあり、ブラジルだけではなくフィリピンの文化についてもパネル展示を行った。また、2018 年はブラジルの踊りやゲーム、フィリピン文化の展示に加え、大学の学生サークルによるインドネシア・バリのガムラン演奏とバリ舞踊も披露され、マルチ・エスニックな文化芸術イベントとしての色彩がさらに色濃くなった。

　2016 年と 2018 年で大きく変化したのは多言語キャンパスツアー（写真 3）である。2014 年の第 1 回は日本語とポルトガル語のバイリンガルでキャンパスツアーを実施したが、2016 年の第 2 回は、さらにスペイン語、英語、タガログ語、中国語のツアーも用意した。2016 年当時は定住コロンビア人の学生と定住フィリピン人、定住中国人の学生が在籍していたため、それぞれスペイン語、タガログ語、中国語でのツアーを準備したのである。しかし、実際にツアーが行われたのは日本語、ポルトガル語、スペイン語、英語のみで、タガログ語と中国語のツアー希望者はいなかった。フィリピン人コミュニティへの働きかけが不十分だった点を反省し、

写真 3　多言語キャンパスツアー（2014 年）

2018年の第3回では浜松市内で子どもたちの学習支援を行うフィリピン人の自助グループに参加を呼びかけた。2014年、2016年に引き続き、ブラジル人の学習支援を行う自助グループは子どもたちを連れて参加してくれた。2018年はポルトガル語、タガログ語、インドネシア語の多言語ツアーに希望者があり、ポルトガル語とタガログ語は定住外国人学生がツアー案内を担当した（日本語、英語、韓国語ツアーは希望者がいなかった）。日本人の父とインドネシア人の母を持つ田中珠深は、ふだんはあまり使わないインドネシア語でキャンパスツアーを行ったあと、実行委員の仲間に「とっても楽しかった」と感想を伝えていた。自らのエスニックな背景に自信を深めた瞬間だった。

フェスタ・ジュリーナの意義

　静岡文化芸術大学がフェスタ・ジュリーナを開催する意義として、第一に学生や市民が外国文化、とりわけブラジル文化に触れること、第二に定住ブラジル人学生がイベントの企画運営を主導することで自分たちのルーツとなる文化に誇りを持つこと、そして第三に多言語キャンパスツアーで定住外国人の子どもたちやその保護者に大学進学の動機付けを与えることを挙げたい。

　第一の意義については、毎回100名を超える日本人来場者があることで十分に裏付けられる。学生実行委員の感想レポートにも「今回のイベントを通して、ブラジルで食べられている料理やこのお祭り自体の存在も初めて知った」、「ブラジル人が多く来ると思っていたが、予想以上に日本人が来ていて驚いた」とのコメントがあった。

　第二の意義については、学生実行委員会のリーダーとなったブラジル出身の宮城ユキミの存在が、他の定住ブラジル人学生に大きな刺激を与えた点を指摘したい。同じくブラジルにルーツを持つ田中琢問は「このイベントで一番印象的だったのは、リボンダンスを終えた後のリーダーの感動の涙でした。長い時間をかけて準備して、成功のために頑張っている姿を見

てきた分、感動の大きさが伝わりました。私の考える（定住外国人）大学生のロールモデルそのものです。自分もいつか何かを成し遂げてみたい気持ちが深まりました」とコメントしている。その翌年度には田中琢問もブラジル人中学生への学習支援など、自らのエスニックな背景を十分にいかした社会的活動を展開するようになった。

　第三の意義は進学の動機付けである。2013年度に静岡文化芸術大学の定住ブラジル人学生たちが浜松市内の公立小学校に通うブラジル人児童の家を家庭訪問して実施したヒアリング調査でも、日本の大学に子どもを進学させたいと願う保護者の声が数多く聞かれた。[注21] しかし、そうした保護者たち自身は日本の大学で学んだ経験はなく、ロールモデルとなる定住ブラジル人大学生の数もまだ極めて限定的である。ブラジル人にとってなじみが深く、なおかつ子どもたちが主役となって参加するフェスタ・ジュニーナ（6月の祭り）になぞらえたイベントを大学で開催することは、浜松に住むブラジル人の子どもたちとその保護者が大学に足を運び、定住ブラジル人の大学生たちと触れ、その経験を聞く絶好の機会となる。定住化が進み、日本の大学に進学したい、あるいは子どもを進学させたいという希望を持つブラジル人が増えている中で、定住ブラジル人学生がロールモデルとしての姿を子どもたちやその保護者に提示できたことの意味は大きい。実際、フェスタ・ジュリーナに参加して静岡文化芸術大学に関心を持ち、入学してきた定住ブラジル人学生も現れてきている。

４ 浮かび上がってきたこと

　冒頭で確認したように、2017年成立の文化芸術基本法は文化芸術の振興にとどまらず、観光、まちづくり、国際交流、福祉、教育等、各関連分野の連携を意識し、文化芸術政策の総合化を志向するものである。しかしそこには日本で暮らす外国人の存在があまり意識されていないように見受けられる。一方、多文化共生を推進する政策の中でも文化芸術の積極的な意義にはあまり焦点が当てられていない。在留外国人が増加する今日の日

本社会において、多文化共生という言葉はかなり浸透してきていると考えられるが、その課題群として挙げられる①労働政策、②社会保障政策、③教育政策、④受け入れ社会側に対する政策の中には、文化芸術を前面に据えた具体的施策は決して多くはない。

2019年4月施行の新しい入管法では、単純労働の外国人は受け入れないというこれまでの政府の方針を大きく転換して「特定技能」という新たな在留資格が導入された。当面は在留期間が最大5年間で家族帯同を認めない「特定技能1号」を人手不足が顕著な介護や外食など14業種に適用することになっており、技能実習からの移行組を含めたアジア系の青・壮年層の労働者が各地でじわじわと増加してゆくことが予測される。

日本で暮らす外国人が職場以外の地域社会と接点を持たないまま長期間滞在するのは、かれらにとって大きなストレスだろうし、地域社会にとっても不安要因となるだろう。言葉を交わすような、あるいは微笑みを交わすような機会を何らかの形で持つことができれば、心の壁は低くなるに違いない。文化芸術活動は単身の外国人労働者と地域をつなぐ上で大きな潜在力を秘めている。さらに言えば、本節のミューラル・プロジェクトやフェスタ・ジュリーナでみたように、文化芸術活動は定住外国人の第二世代の子どもたちが日本で教育達成するための動機付けにもなりうる。文化芸術基本法の精神に、外国につながる人たちの社会参加、社会的包摂という視点の追加が求められる。

注
1) ここでは外国籍者だけでなく、日本国籍があっても外国にルーツを持つ者を含む意味で外国人という言葉を用いることにする。
2) 法務省「平成30年末現在における在留外国人数について」（2019年3月22日発表）http://www.moj.go.jp/nyuukokukanri/kouhou/nyuukokukanri04_00081.html（2019年6月30日閲覧）
3) 各都道府県の2018年10月1日の推計人口値については、「都道府県市区町村」のサイトを参照。https://uub.jp/pdr/（2019年6月30日閲覧）
4) 飯笹佐代子「多文化都市政策と地域再生－外国人との共生と文化的多様性・創造性－」佐々木雅幸＋総合研究開発機構編『創造都市への展望－都市の文化政策とまちづくり－』学芸出版社、2007、124-148頁のうち、特に125頁。
5)「浜松市多文化共生都市ビジョン」2013年3月、浜松市

　　https://www.city.hamamatsu.shizuoka.jp/kokusai/kokusai/documents/iccvision_
　　jp.pdf（2019 年 6 月 30 日閲覧）
　6）「第 2 次浜松市多文化共生都市ビジョン」2018 年 3 月、浜松市
　　https://www.city.hamamatsu.shizuoka.jp/kokusai/kokusai/documents/iccvision-jp.
　　pdf（2019 年 6 月 30 日閲覧）
　7）ホランイとは韓国・朝鮮語で虎を意味する。劇団ホランイについての記述は、仲尾望「『多
　　文化共生』に向けた教育実践の検討－異文化間における関係性の構築から見る－」『異
　　文化』（法政大学国際文化学部）14、2013、159-196 頁のうち、特に 183-185 頁に依拠。
　8）2017 年までの継続状況については、ふれあい館の活動に長年関わっている山田貴夫か
　　らの情報提供に拠っている。
　9）池上重弘「浜松市と企業・大学・市民による外国人住民受け入れの経緯と課題」『社会
　　政策』8（1）2016、57-68 頁。
　10）浜松カップ「フェスタ・サンバ 2018」http://hamamatsu-samba.jp/（2019 年 6 月 30
　　日閲覧）
　11）池上重弘「移住者の第二世代による日本社会への発信－浜松市のニューカマー第二世
　　代を中心に－」移民政策学会設立 10 周年記念論集刊行委員会編『移民政策のフロンティ
　　アー日本の歩みと課題を問い直すー』明石書店、2018、251-255 頁。
　12）特定非営利活動法人浜松 NPO ネットワークセンター「ミューラル・プロジェクト」
　　http://www.n-pocket.jp/foreigner/foreigner/message/mura/（2019 年 6 月 30 日閲覧）
　13）池上重弘「外国人集住都市会議」吉原和男編集代表『人の移動事典－日本からアジアへ・
　　アジアから日本へ』丸善出版、2013、184-185 頁。
　14）鍛治致「外国人の子どもたちの進学問題－貧困の連鎖を断ち切るために－」移住連貧
　　困プロジェクト編『日本で暮らす移住者の貧困』移住労働者と連帯する全国ネットワー
　　ク、2011、38-46 頁のうち、特に 42 頁。
　15）高谷幸・大曲由紀子・樋口直人・鍛治至・稲葉奈々子「2010 年国勢調査にみる外国人
　　の教育－外国人青少年の家庭背景・進学・結婚－」『岡山大学大学院社会文化科学研究
　　科紀要』39、2015、37-56 頁のうち、特に 54-55 頁。
　16）定住外国人学生とは、永住者、定住者、日本人の配偶者等、永住者の配偶者等のように、
　　居住や就労に制限のない「身分資格」を有する外国人学生を指す。
　17）池上重弘「定住外国人学生の修学実態調査報告－静岡県西部地域の大学を中心に－」『静
　　岡文化芸術大学研究紀要』14、2014、97-100 頁。
　18）池上重弘「静岡県内の大学における定住外国人学生在籍状況」『静岡文化芸術大学研究
　　紀要』19、2019、115-120 頁。
　19）SUAC は静岡文化芸術大学の英語名称 Shizuoka University of Art and Culture の略称。
　　英語の "in SUAC" に相当するポルトガル語が "na SUAC" である。
　20）2014 年の第 1 回以来、静岡文化芸術大学で開催するフェスタ・ジュリーナは、浜松の
　　日本人とブラジル人の企業経営者らが 2009 年に立ち上げた日伯交流協会と共催してい
　　る。筆者が同協会の理事を務めることから共催を呼びかけ、大学の費用ではまかなえ
　　ない飲食費用等を同協会が負担する形をとっている。
　21）池上重弘・上田ナンシー直美「ブラジルからの移住第 2 世代とバイリンガル絵本プロ
　　ジェクト－浜松市における静岡文化芸術大学の試みー」『海外移住資料館　研究紀要』9、
　　2015、59-69 頁、特に 65 頁。

高島知佐子

1 地域における国際交流

　1990年代以降、グローバリゼーションは産業空洞化や文化の画一化を
もたらし、経済と文化の両面で衰退する地域が増えている。魅力ある地域
は多くの人々を集め、経済的にも文化的にも発展する一方、そうでない地
域は人口減少が進み衰退するという二極化を生む。このような中、地域の
魅力創出につながる活動の一つとして、近年、文化芸術における国際交流
への期待が高まっている。

　国際交流は、国外での活動と国内での活動に分けられる。国外での活動
は、文化外交や輸出などの経済活動の推進を目的に日本文化を発信するこ
とに重きが置かれ、外務省や経済産業省がこれに力を入れている。一方、
国内での活動は地域レベルで行われることが多い。

　戦後日本の国内における地域の国際交流は1950年代から始まったと言
われる。当時の目的は、アメリカをはじめとした西洋諸国への関心の拡
大であった。日本の自治体と海外都市との国際姉妹都市交流が推進され、
1955年にアメリカ・セントポール市と長崎市が最初の姉妹都市提携を締
結した。2018年の時点で、全国の自治体の姉妹都市提携数は1753件ある。
[注1)] 1970年代に入ると国際交流は大衆化時代と言われ、国際交流を目的
とした自治体外郭団体が多く設立された。地域国際化協会と呼ばれるこれ
らの団体は、首都圏や政令市を中心に2018年時点で全国に62団体ある。
[注2)] 1980年代以降は関心をアジアや国際協力に拡大し、現在の国内にお
ける国際交流は多文化共生へとシフトしている。[注3)]

　地域の国際交流が国内の外国人に目を向ける流れにある中で、文化芸術
の国際交流は海外とつながりを持つことに関心が注がれている。2013年
には日本をハブとした国際的な文化芸術交流を促進するため、文化庁と観

光庁が包括的連携協定を結んだ。また、4-1 で池上が指摘するように、文化芸術基本法では、これまで外務省等が担ってきた海外への発信が強調されている。自治体では姉妹都市提携を地域活性化の戦略に位置付け、国際交流による新商品開発やブランド化による産業活性化、観光促進などが議論されている。[注4]

2 各地の取り組み

　文化芸術における国際交流として地域レベルで多く取り組まれているものに芸術祭とアーティスト・イン・レジデンス（Artist-in-Residence: 以下、AIR）がある。新潟県の「大地の芸術祭 越後妻有アートトリエンナーレ」、愛知県の「あいちトリエンナーレ」、北海道の「札幌国際芸術祭」など、芸術祭は文化芸術による地域課題へのアプローチを目的に開催されるケースが多く、近年増加している。経済効果、交流人口やIターン人口増加の面から成功例としてよく取り上げられるのが香川県の「瀬戸内国際芸術祭」である。約50の団体で実行委員会が組織され、瀬戸内海の島を舞台に、国内外のアーティストによる地域の伝統文化と現代アートを融合させた作品を体験できるイベントである。2010 年に始まった同芸術祭は2019 年に4回目を迎え、期間中は世界各国からの観光客で賑わう。戦後、工業化で発展した瀬戸内海は、その後環境汚染や産業空洞化が深刻となり、島の文化はもとより島の存続そのものが危ぶまれる状況にあった。しかし、芸術祭を通して地域文化を再発見、再評価し、観光資源へと転換させることができたと言われる。[注5]

　AIR は、アーティストがある土地に一定期間滞在し創作活動を行う。国外のアーティストを招聘した AIR が盛んである。芸術祭で取り組まれることも多いが、文化施設をはじめとした多様な主体で広がりを見せている。日本で AIR が普及する以前から AIR 事業を進めた文化施設に滋賀県立陶芸の森がある。1990 年に開館した同施設は、1992 年に滞在型施設「創造研修館」をオープンさせ、ここを AIR の拠点とした。国内外の陶芸作

家が滞在し、地域の伝統工芸である信楽焼の職人たちと交流しながら作品を制作する。伝統工芸という地域資源を軸に、国際交流を通して信楽焼の認知度向上や後継者育成、新たな商品開発の糧になることを意識した事業である。[注6] 文化庁が AIR 活動支援を通じた国際文化交流促進事業を推進していることもあり、文化施設だけではなく、大学や NPO 法人等での取り組みも増えている。

　芸術祭と AIR に見られる国際交流の特徴は、①地域に外国人アーティストを招聘し地域内で活動を行うこと、②特定の領域に特化して現代的な表現と地域の歴史や伝統の融合を目指す活動、③自治体や公立文化施設が主体となるケースが多いことにあろう。こうした動きの一方で、芸術祭や AIR の要素を取り入れながら、民間主体で独自の国際交流を展開する事例も見られる。次項では歴史的・伝統的な文化芸術を現代的な文脈に発展させ、国内外で活動を行う事例として長崎県平戸市の「Sweet Hirado」を取り上げ、文化芸術における国際交流の新たな可能性を考えたい。

3 長崎県平戸市の菓子文化を軸とした地域資源の創造「Sweet Hirado」

平戸の歴史と文化

　長崎県平戸市（以下、平戸）は九州の北西部に位置し、四つの島と九州本土の一部で構成される人口約 3 万 2000 人のまちである。市の中心部は平戸で最も大きい平戸島に位置し、九州本土からは車と船でしかアクセスできない。人口は 1955 年をピークに減少し、高齢化が進んでいる。

　平戸は古代より外国の船が多く到着し、朝鮮半島、中国大陸、ヨーロッパ諸国との交易が盛んな地域であった。17 世紀に日本で最初にオランダとの貿易が始まった場所でもある。鎖国後、出島ができるまでは、ポルトガル、イギリス、オランダ、中国との交易拠点だった。当時ポルトガルから伝わった菓子「カスドース」は、現在の平戸銘菓になっている。平戸では、交易で早くから砂糖が手に入ったため、江戸時代から多くの菓子店があっ

た。^{注7)} また、江戸時代に武家茶道・鎮信流が興ったことで菓子文化が栄え、現在まで継承されている。

　このような平戸の歴史をもとに新たな地域資源を創造・発信することを目的に日本人アートディレクターの発案で始まった事業が Sweet Hirado である。オランダ人アーティストと平戸の人々との協働を軸に三つの活動が進められた。^{注8)}

① 江戸時代に平戸を統治していた松浦家に伝わる菓子本『百菓之図』に載っている菓子を再現する。

②『百菓之図』をもとに新しい菓子を開発し、現代版『百菓之図』として『東西百菓之図』を制作する。

③ 新しい菓子を使ったオランダ茶会を国内外で開催し、平戸の歴史、文化を発信する。

写真1　Sweet Hirado で生まれた新しい菓子と器

写真2　『百菓之図』（個人蔵）

Sweet Hirado の概要

　Sweet Hiradoのきっかけは2015年に開催されたオランダ大使館のパーティーに遡る。オランダ大使館が対外文化政策の一環でつながりのある日本人のコンテンポラリージュエリーアートディレクター・大地千登勢と松浦史料博物館の館長・岡山芳治が、オランダ大使館職員であるバス・ヴァルクスの紹介で出会った。その後、大地は自身の展覧会開催を検討するために平戸を訪問し、松浦史料博物館の持つ18世紀に作られた菓子図鑑（100種類の菓子の絵とレシピ）『百菓之図』に関心を持った。大地が『百菓之図』を軸とした新たな事業をオランダ大使館と松浦史料博物館に提案し、Sweet Hirado は始まった。提案内容は、平戸と歴史的に関係の深いオランダとの交流を中心に、オランダ人アーティストとの協働による新しい菓子づくり、オランダ茶会の開催であった。

　プロジェクトには、地元菓子店の協力と資金調達、オランダ人アーティストの選定が不可欠だった。菓子店の選定は、松浦史料博物館の岡山が地元に声をかけて進めた。岡山は2000年代後半から平戸の菓子店・株式会社つたや總本家（屋号は蔦屋）、一般社団法人平戸観光協会とともに「南蛮スイーツ研究会」を発足させ、平戸の歴史的な菓子を核とした新たな地域資源づくりを検討していた。そこで、同研究会に話を持ちかけ、蔦屋の代表・松尾俊行が同じく平戸の菓子店である菓子工房えしろ、有限会社熊屋を誘い、計三つの菓子店がプロジェクトに参加した。蔦屋は江戸時期から続く菓子店で、『百菓之図』にもその名が登場する。

　資金面では最初にオランダ大使館が支援した。独自性の高い事業は計画段階では成果が見えにくいため、他の支援の呼び水にもなる「seed money」が必要と考え、2015年に約100万円を助成した。2016年と2017年はオランダ国際文化協力センター（Dutch Culture）が支援した。[注9] これらの支援はオランダの対外文化政策に基づいたものである。その後、松浦史料博物館が申請者となり、長崎県と平戸市からも補助金を得た。

　オランダ人アーティスト選びは大地が進めた。大地はオランダ人アー

ティストとの仕事経験があり、知己がいた。ローズマライン（Roosmarijn Pallandt）とイナマット（INA-MATT）がプロジェクトに加わった。ローズマラインは「イマジンネイチャー」と名付けた自然をテーマにしたプロジェクトを続けるアーティストである。イナマットは、アートと技術を融合させた空間デザインや建築を手がける二人組である。

　新しい菓子は、オランダ人アーティストが『百菓之図』や平戸の歴史、自然、文化をもとにデザインし、それを平戸の菓子職人が制作するという形で開発された。茶会に用いる器や茶碗も同じ方法でオリジナルなものが作られた。かつて平戸焼とも呼ばれた三川内焼（長崎県佐世保市）の二つの窯元、平戸松山窯と平戸洸祥団右ヱ門窯が参加した。松浦史料博物館の理事長であり、かつて平戸藩主だった松浦家の現当主（第41代）・松浦章の推薦で窯元は決まった。松浦家は鎮信流の家元（流祖は第29代当主）でもあり三川内焼との関係が深い。平戸洸祥団右ヱ門窯の代表は2000年代から鎮信流茶道を習っており、それも縁になった。

新しい菓子ができるまで

　オランダ人アーティストはそれぞれに平戸の歴史を調査し、2016年に2回来日した。約2週間、平戸でアパート暮らしをし、まちを自由に散策したり、伝統行事に参加した。イナマットは出身地オランダ・フリースラ

写真3　オランダ茶会の様子

ント州と平戸のつながりを調べ、平戸の木々、マキの実、夜の海、塩炊き屋などをヒントにデザインした。ローズマラインは、平戸に残る古語オランダ語や日本語で書かれた貿易品の仕訳帳を調べ、古語と自然のつながり、金属や香辛料、織物などのかつての貿易品に影響を受けデザインした。ローズマラインの滞在時には、松浦が約8時間に渡る鎮信流の茶事を開催し、平戸の歴史を肌で感じる機会を作った。

　菓子、器ともに伝統的な技法や表現があり、技術的制約もある。和菓子は春夏秋冬や花鳥風月の要素を取り入れるのが一般的だが、オランダ人アーティストのデザインは伝統に縛られず、色や形、味の組み合わせが独創的だった。デザインをもとに菓子店や窯元の職人が制作し、その内容を大地がチェックしながら完成させていった。しかし、職人、大地、オランダ人アーティスト間で作品のイメージが異なり、互いの意図が伝わらず三者間にコンフリクトが生まれた。大地の理解を通して伝達されることに納得できず、直接アーティストとやりとりする職人もいた。職人はデザイン通りに作っているつもりでも、大地には違うように映ることもあった。例えば、青色の菓子では、大地は平戸の海を表す色にこだわった。職人が作る着色料を使った青に満足できず、『百菓之図』に現れる青色の原材料を探しだし提案した。

　三者が悩み葛藤しながら、2017年に24種類の菓子が完成した。同年、オランダと日本でオランダ茶会が催された。オランダ茶会とは、鎮信流の茶会をベースに考案されたもので、Sweet Hirado で制作された器と菓子を用いた茶会である。国内では平戸オランダ商館をメイン会場とし、松浦史料博物館とオランダ大使館の公邸で、オランダではアムステルダムで 2016 年から毎年行われている日本の伝統工芸を発信する展示会「mono Japan」で開催された。国内開催では、設えにイナマットがデザインし、高知県在住のオランダ人手漉き和紙作家のロギール・アウテンボーガルトが制作した掛け軸等が使われた。

プロジェクトを支えたもの

　地域の歴史や文化を受け継ぐ存在として本プロジェクトを支えたのが松浦史料博物館である。地域の歴史や文化に関する貴重な資料を途切れることなく保存してきたことが、大地やオランダ人アーティストの創造性を刺激し、プロジェクト発足と実現を導いた。同博物館は平戸藩主で鎌倉時代から続く松浦家の史資料を保存公開するために、1955 年に松浦家の私邸だった鶴ヶ峯邸（1893 年建設）を利用し作られた。松浦家の所有する資産の一部を元に一般財団法人として設立され、不動産収入等を基盤に運営されている。現在は公益財団法人松浦史料博物館が所有、運営している。同財団は平戸市の文化施設・平戸オランダ商館の指定管理者でもある。同博物館は、本プロジェクトの母体になるとともに、平戸の歴史や文化の伝承者の役割を果たしている。平戸市や長崎県への補助金申請、アーティストの受け入れ手配などを担った。

　松浦史料博物館と同じく、地域の歴史や文化の担い手としての役割を果たしたのが鎮信流である。鎮信流は、現在日本国内に九つの支部をもち、NPO 法人化し継承されている。支部の多くは九州にある。鎮信流が三千家と異なる点として挙げられるのは、お茶を飲んでから菓子を食する点や細かな決まりの少ない点である。これは武家茶道として始まったことから、形式よりも人の生き方を問う茶という点に重きを置いているためである。[注10]Sweet Hirado のオランダ茶会開催時には、家元の松浦ほか、同流派のメンバーが茶会の亭主を務めた。

　アーティストや職人以外にプロジェクトを人材面で支えたのは、平戸市が実施してきた国際交流員制度と過去に補助金を出していた AIR 事業である。これらの事業が平戸でのオランダ人アーティストの受け入れの素地を作ったと言える。国際交流員制度とは 1987 年に始まった JET プログラム（The Japan Exchange and Teaching Programme：語学指導等を行う外国青年招致事業）で、一般財団法人自治体国際化協会[注2] が総務省、外務省、文部科学省と連携し推進する事業である。目的は「外国青年を招

致して地方自治体等で任用し、外国語教育の充実と地域の国際交流の推進を図る」ことにある。[注11] 平戸市では、オランダから国際交流員を定期的に受け入れてきた。2016年にオランダ人アーティストが来日し、平戸を調査した際に案内役、通訳を務めたのが、かつて国際交流員だったレムコ・フローライクである。フローライクは2007年8月から2012年7月まで平戸市の国際交流員だった。任期終了後も平戸に残り、市役所や松浦史料博物館で働き、2014年からは明治時代後期に建てられた平戸市内の日本家屋を改修して住んでいる。

　2000年から2010年までの11年間、平戸市の補助金を活用し民間で行われていたAIR事業「12xおらんだ」(以下、12x)もSweet Hiradoの実現に寄与した。この事業は平戸市民の町田雅之が、オランダ人フルート奏者・ウィル・オッフェルマンズ、薩摩琵琶奏者・上田純子と出会い、日蘭交流400周年記念プロジェクトとして立ち上げた。町田を中心に平戸市民で作られた12xおらんだ平戸実行委員会が主体となり、ボランタリーに活動は続けられた。12xでは、多様な分野の第一線で活躍するオランダのアーティスト・専門家12名が1～2ヶ月平戸に滞在し、ワークショップやコンサート、学校訪問等で地域住民と交流を図りながら制作活動を行った。長崎県や平戸市の補助金、オランダ大使館、企業等の支援を得て、人と人との交流に重きを置き繰り広げられた。[注12] フローライクも実行委員会メンバーだった。また、オランダ大使館職員のヴァルクスは、学生時代に12xの第1期生として平戸に滞在したアーティストの一人である。当時のヴァルクスの受け入れ先が松浦史料博物館だった。12xは多くの平戸市民に記憶されており、これが外国人アーティストの滞在や調査等を受け入れる地域の寛容性につながっていると考えられる。

　Sweet Hiradoを資金面で支援したのがオランダ大使館である。民間主体の活動は資金調達に苦慮するケースが多いが、オランダ大使館の支援により、構想から短い期間で実施に至ることができた。

　オランダの対外文化政策は、オランダの文化表現を海外に広げていくこ

とと、共有文化遺産による交流の二つを柱に4年単位で展開されている。Sweet Hirado の発案者である大地は、前者において自身主催の展覧会等にオランダ大使館の支援を受けていた。オランダはコンテンポラリージュエリーのメッカと言われ、同分野で多くのアーティストが活躍している。しかし、日本では未成熟な分野のため、オランダ大使館は日本での活動を支援してきた。大地は、オランダを代表する画家・レンブラントが平戸商館から輸出されたであろう雁皮を愛用していたというコンテクストから展覧会等を開催していた。この歴史的つながりが大使館による彼女への支援を後押しした。後者はオランダとつながりのある国との二国間で生まれた歴史を発展させ、新しいアイディアや現代的価値の創出に取り組むものであり、Sweet Hirado はこれに位置付けられた。

　オランダの対外文化政策が国ではなく地域単位で行われていることも、今回のプロジェクト支援につながった。限られた資源で効果的な政策を実施するため、2015 年からオランダの対外文化政策は地域密着の方針が採られている。その重点地域の一つに九州が入っている。佐賀県とオランダ大使館が組んだ有田焼の活動が国際展示会・ミラノサローネで評価されたのをきっかけに、伝統産業に重きが置かれるようになった。これらの方針が具現化されたのが「Holland×Kyushu（オランダ＆九州）」事業である。九州で歴史的にオランダとつながりのある地域、文化施設、伝統産業において、多種多様な文化協力プログラムが2016 〜 2017 年の2 年間に渡り展開された。平戸では Sweet Hirado 以外に、平戸オランダ商館でのジャズコンサート等が行われた。[注13)]

４ 地域の文化芸術と国際交流の課題

　Sweet Hirado は外国人アーティストや異なる業種の人々の協働を国内外に発信することで、地域の歴史的・伝統的文化に現代的価値を与え、既存の地域資源を豊富化させた事例と言える。この事例から得られる示唆は、以下の四点にまとめられる。

一つ目は、文化芸術における国際交流では、人と人のつながりが続くことで地域に大きな価値をもたらすことである。江戸時代の歴史を背景にオランダとの国際交流活動に携わった人々が、成長し再び出会いSweet Hiradoを支えた。国際交流とは人と人が出会い交流することであり、その交流が続くことで将来の可能性が広がるものと言える。文化芸術における国際交流では、制作された作品や場所、施設に焦点が当たりやすい。作品も重要ではあるが、作品を媒介とした人の交わりこそが新たな価値を生むことを示している。

　二つ目は、歴史的な資料の保存や伝統的文化の継承が創造と交流の礎になることである。Sweet Hiradoが構想された背景には、17世紀から続く平戸と欧州の交易、同地で発展した茶道の歴史から生み出された『百菓之図』があった。また、平戸の菓子文化、三川内焼のような伝統産業が現在まで継承されているからこそ新しい活動に取り組むことができた。地域に多様な資源が存在することが、思わぬ形で地域に新たな活動をもたらすことを表している。

　三つ目は、異なる国や地域、業種の人々が交わることで生じるコンフリクトが新たな価値を生むことである。制作過程では、ディレクターを務めた大地、職人、オランダ人アーティストの間ですれ違いや意思疎通の難しさ等が生じた。このようなコンフリクトは異なる領域からの新たな気づきにつながる反面、時に活動を停滞させ崩壊させたりもする。しかし、コンフリクトが生じない活動は、新たな気づきに乏しい。新しい価値を生み出すには、人と人との交流を作り、コンフリクトを生じさせ、それをいかに乗り越えていくかが肝要になる。Sweet Hiradoでは、異なる立場の人々、加えてプロ意識の高い人々を多く巻き込んだことが、コンフリクトの発生と解消につながったと考えられる。多様な領域からこだわりの強い人が集まるほどコンフリクトは増える。しかし、こだわりの強さと関係者の多さは、事業を中断する、やめるという意思決定を難しくさせ、コンフリクトを乗り越えることにもつながっていった。新しい価値につなげるためには、

多くの人が交流すれば良いということではなく、どのような人を巻き込むのかも重要になる。

　最後に、新しい活動では、想定される成果ではなく、未知の領域に挑戦すること自体を評価する支援者が必要である。何も生まれていない活動、何が生まれるかわからない活動の資金調達は難しい。日本の国や自治体の補助金は、活動内容が明確であるもの、活動から得られる波及効果等が明示されているものが採択される傾向にある。Sweet Hirado に助成金を出したオランダ大使館は、この点を踏まえ支援した。誰かが支援をしなければ、他の支援も集められない。支援を集めやすくするために、最初に支援を決定したと言う。また、事業の母体となった松浦史料博物館の存在も大きい。松浦家の資産を基盤に設立された財団のため、自治体の補助金等に依存しない安定した経営がなされている。結果の見えない活動に着手する際には、母体となる団体と最初の支援を確保することが重要であることを示している。今後、各地域の多様な団体や人々による、国や地域、業種等を超えた新しい協働を促進するならば、支援する側は新しい活動に挑戦することそのものを評価する視点を養っていく必要があるだろう。また、安定的な経営ができる団体を地域でどのように育てるかを検討することも求められる。

注

1 ）複数の自治体による合同提携数を含む。姉妹都市提携の自治体数は 882 件ある。
一般財団法人自治体国際化協会 HP「自治体間交流」
（http://www.clair.or.jp/j/exchange/shimai/page.html、2019 年 8 月 12 日閲覧）

2 ）一般財団法人自治体国際化協会 HP「地域国際化協会について」
（http://www.clair.or.jp/j/multiculture/association/rliea.html、2019 年 8 月 12 日閲覧）

3 ）佐藤久美（2013）「日本の国際化政策の進展に関する中央政府と地方自治体の関係性の変化：「国際交流」から「多文化共生」へ（上）」『金城学院大学論集社会科学編』10（1）、32-47 頁。
佐藤久美（2014）「日本の国際化政策の進展に関する中央政府と地方自治体の関係性の変化：「国際交流」から「多文化共生」へ（下）」『金城学院大学論集社会科学編』10（2）、56-70 頁。

4 ）一般財団法人自治体国際化協会（2011）「これからの国際交流の在り方について - 戦略的交流と海外の国際交流事例に学ぶ -」『自治体国際化フォーラム』10 月号、2-16 頁。

5 ）瀬戸内国際芸術祭 HP
（https://setouchi-artfest.jp、2019 年 7 月 1 日閲覧）

6）滋賀県立陶芸の森HP「陶芸の森アーティスト・イン・レジデンス事業の軌跡」
（https://www.sccp.jp/artist-list/progress-report-of-the-air/、2019年8月12日閲覧）

7）江後迪子（1999）『江戸時代の平戸の菓子』つたや総本家。

8）Sweat Hiradoに関する記述は、特に指示のない限り2019年4月から7月に行った以下の人物へのインタビューならびにSweet Hiradoホームページ（http://sweethirado.com、2019年7月1日閲覧）によるものである。インタビューは、松浦史料博物館・岡山芳治氏、株式会社つたや總本家・松尾俊行氏、菓子工房えしろ・江代雅也氏、平戸洸祥団右ヱ門窯・中里太陽氏、オランダ王国大使館・バス・ヴァルクス氏、大地千登勢氏に行った。

9）アムステルダムを拠点に、芸術、文化、伝統の分野における国際協力活動の促進と支援行っている機関（https://performingarts.jp/J/society/1804/1.html、2019年11月10日閲覧）

10）井口海仙・久田宗也・中村昌生（1983）『日本の茶家』河原書店。
鎮信流HP（http://www.chinshinryu.or.jp/towa.php、2019年8月12日閲覧）

11）JETプログラムHP（http://jetprogramme.org/ja/、2019年8月12日閲覧）

12）12xオランダHP（http://12xholland.com/index.html、2019年8月12日閲覧）

13）オランダ＆九州HP（https://hollandkyushu.com/ja/、2019年8月12日閲覧）

※本稿の調査は、JSPS科研費19K01837の助成を受けたものである。

5-1 踊りとコミュニティ振興

松本茂章

1 地域芸能とコミュニティの関係

　老いも若きも祭礼となれば血が騒ぐ。祭礼が人々をつなぐ紐帯となって地域の絆になる。筆者自身、大阪府岸和田市に暮らした際には威勢のいい「だんじり祭り」に参加して沼町の地車を曳いた。県立高知女子大学（現在、高知県立大学）の勤務時には大学近くにあった大橋通り商店街のアーケードで「よさこい」の練習をよく眺めた。静岡文化芸術大学に移ってからの2年間は地元の「浜松まつり」に参加して早出町の太鼓をたたかせてもらった。転勤の多い筆者の場合、地域の祭礼に参加することで地元の人々と仲良くなろうと努めた。

　高知で思い出深いのが八代の舞台（いの町枝川）で見た農村歌舞伎である。[注1] 神社境内に設けられた回り舞台（国の重要有形民俗文化財）で地元の八代青年団が奉納歌舞伎を演じた。境内に敷き詰められたゴザに座っていると、おでん、お菓子などが「どうぞ」と回ってくる。満席の観客たちは白いティッシュペーパーを箱ごと持参しており、事前に両替した100円硬貨や10円玉を包み、芝居のヤマ場になると役者に投げる。「投げ銭」である。舞台の花道は雪が積もったように白くなった。

　月刊誌『都市問題』2013年9月号の特集は「祭りとコミュニティ」だった。鳴海邦碩（大阪大学名誉教授）は「伝統的な祭りの現代的な意義について」と題した論考のなかで、「伝統的な祭りにおいて、祭りが持つ『型』を会得するためには、習熟が必要であり、それを契機としてコミュニケーションが生まれる。また参加者が通世代的であることは、『世代間コミュニケー

ション』の機会を提供する。さらに、祭りは能力に関係なく人びとを受け入れる。こうした伝統的祭りがもつ役割を筆者は評価し関心をもっている」と述べている。^{注2)}一方で、内田忠賢（奈良女子大学教授）は「よさこいが生み出すコミュニティ」と題した原稿で「よさこい YOSAKOI 系イベントが伝播した地域を概観すると、すでに伝統的な地域コミュニティは弱くなり、新しい人的ネットワークが求められていた。つまり、社会の変化が求める新しいコミュニティ、人的ネットワークに、よさこい YOSAKOI 系イベントは対応していたことになる」と指摘した。^{注3)}

祭礼とコミュニティづくりを検証した書籍や論文は多数出されている。とはいえ宗教行事である祭礼に自治体が直接的に関わるわけにはいかないだろう。祭礼は民間のものであり、公共政策として取り扱うことには難しい面がある。そこで本稿では、地域芸能が他の地域に転じてイベントとして根を下ろしている事例を考えてみたい。

2 「よさこいソーラン」「阿波踊り」「サンバ」

土佐の高知で生まれた「よさこい」は勢いがある。高知よさこい情報交流館のホームページをみると、^{注4)}「各地に広がるよさこい」と題され、全国規模に広がった様子を知ることができる。札幌市の YOSAKOI ソーラン祭りや鹿児島市のかごしま春祭大ハンヤなど北から南まで合計 244 件が掲載されている。仙台の「みちのく YOSAKOI 祭り」、埼玉県朝霞市の「関八州よさこいフェスタ」、浜松市の「浜松がんこ祭り」、名古屋の「にっぽんど真ん中まつり」なども紹介されている。

先述の内田によると、よさこい祭りは 1954 年、高知市で地域活性化のために始められた。「鳴子」と呼ばれる木製楽器を手に持ち、テーマソングの「よさこい鳴子踊り」に合わせて体を動かす。テーマソングの一部が入ればいいので、民謡だけでなく、ロックやサンバ、ラップなど多様な音楽表現が可能となり、若者を引き付ける。1992 年に北海道大学学生らが主導して始めた学生祭典「YOSAKOI ソーラン祭り」によって一気に全

国各地へ広がった。内田は「私の推測では 2000 年代には 800 ヶ所以上で、同種のイベント、鳴子踊りの競演イベントが開催されている。一説には、よさこいを踊る人数は、約 200 万人に上ると言われる」と記述した。[注5]

　同じ南四国で生まれた阿波踊りも盛んである。阿波踊りの専門情報誌『あわだま』のホームページによると[注6]、同誌を配布する全国の阿波踊り大会が掲載されている。北は北海道名寄市の「ふうれん白樺まつり」から、南は長崎県島原市の「島原ガマダス阿波踊り大会」まで計 53 ヶ所を紹介した。このうち「東京高円寺阿波おどり」[注7]など首都圏で 31 件を占める。東京 21 件と埼玉 8 件が突出している。

　編集長の南和秀は東京高円寺阿波おどり 50 周年誌(2006 年発行)に「『東日本の雄』高円寺の発展を願って」と題して寄稿した。[注8]「今や、全国で 80 ヶ所とも 90 ヶ所ともいわれる国内開催の阿波踊り大会。とりわけ、首都圏の開催数の多さには目を見張るものがある。そのけん引役となったのは、半世紀の歴史を刻んだ『東京高円寺阿波おどり』であろう」としたうえで「阿波踊りは、その魅力ゆえ、一地方の芸能だったものが広く全国的に愛されるようになった。そんな中、阿波踊り文化をマスメディアが集まる都市から発信しているのが『東京高円寺阿波おどり』で、その影響力は大きい。もはや 21 世紀の阿波踊りの命運を左右する存在になっていることを、心にとどめてほしい」と述べた。そして「今の社会に阿波踊りは必要だ。『楽しいから』といった娯楽的要素のほか、教育や福祉、産業、健康、地域社会との関連性など、阿波踊り文化にはさまざまな効用があることも少しずつ証明されてきている。多種多様な価値観をもつ人々が暮らす大都市には、もしかすると徳島以上に阿波踊りが不可欠なのかもしれない」と指摘した。

　サンバのダンスも全国各地で人気を集める。筆者の本務校が立地する浜松市は、4-1 で池上重弘が取り上げているように日系ブラジル人が多く居住しており、浜松カップ「フェスタ・サンバ」が行われている。毎年 10 月、市中心部の通りで実施され、各チームが競演する。あるいは、1971 年に

市民参加型の祭りとして誕生した「神戸まつり」では、中心部の三宮を主会場にしてサンバチームが出場する。

　8月最終週の東京では「踊りの三つ巴」が繰り広げられる。一つには「原宿表参道元氣祭スーパーよさこい」（2001年開始）で、渋谷区の表参道周辺で行われる。二つには「東京高円寺阿波おどり」（1957年開始）で、杉並区のJR高円寺駅周辺で繰り広げられる。三つには「淺草サンバカーニバル」（1981年開始）で、台東区の馬道通りから雷門通りにかけて実施される。毎年8月下旬の首都は踊りの渦に飲み込まれるのだ。

　どの踊りも魅力的で興味深いが、本稿では阿波踊りに焦点を当てる。

３ 南越谷の阿波踊り

地元企業の社会貢献から市を代表する踊りに

　筆者は2018年12月末、JR東京駅から地下鉄を乗り継ぎ東武伊勢崎線・新越谷駅まで出向いた。所用時間45分余り。JR武蔵野線・南越谷駅との乗換駅で、両駅前の広場には阿波踊りの銅像3体が置かれて待ち合わせ場所になっていた。踊り手の熱演風景写真が広場を覆う屋根の柱7本に掲げられ、駅壁に「南越谷阿波踊り」と大きく書かれていた。「四国の徳島では」と思うほどの風景である。埼玉県越谷市でも盛んに阿波踊りが行われており、本場・徳島、杉並区・高円寺と並んで「日本三大阿波踊り」と称されている。

　南越谷阿波踊りが始まったのは1985年だった。以後、毎年8月に両駅周辺道路の演舞場や文化施設等で続けられ、2018年8月24日（金）〜26日（日）の第34回には地元55連、関東近郊19連、本場徳島などからの招待5連の計79連が参加した。観客数も過去最高の75万人（主催者発表）が詰めかけた。

　一般社団法人南越谷阿波踊り振興会と南越谷阿波踊り実行委員会が主催する。共催には越谷市と市外郭団体が加わる。実行委員長には地元商店会長が就任し、副委員長は同市環境経済部長、商工会議所会頭らが名を連ね

る。同振興会に専従職員はおらず、同市南越谷に本社を置く総合住宅企業「ポラス株式会社」が統括するポラスグループ（25社）の社員が中心となっており、地元自治会等の協力を得て運営する。

　各委員会（警備、地元連育成、会場運営、財務、会場設営、広報など）の主な委員は同グループ社員で構成する。徳島県出身の創業者（初代社長・中内俊三）の熱意から始まった。同社広報チームによると、創業者は「南越谷には大きな祭りがない。子どもたちに古里の思い出をつくりたい」と常々言っていたそうだ。当初は分譲した各地の住宅地で盆踊りを開いていたが、事業拡大に伴い一つに集約することに。郷土の阿波踊りを主題に選んだ。広報担当者は「住宅メーカーだけに工事で近所にご迷惑をおかけする場合もある。工事車両も走る。中内にとって『住民にお中元やお歳暮をお贈りする』という心境だった」と話した。

　かつて「阿波踊りは一企業の祭り」（市幹部）と受け止められていたようで、道路の占用・使用の許可申請は同振興会名義で行ってきた。2013年に同市が共催に加わって以降、市長名で同許可申請が行われるようになった。共催以降、市から実行委員会に出す人材は従来の課長から部長に格上げされた。舞台踊りを披露する越谷コミュニティセンター大ホール（1675席）の使用も以前は同振興会が備品代の一部を負担していたが、共催に伴って無料になった。

　2017年には企業メセナ協議会のメセナアワード優秀賞を受賞した。2018年11月3日に行われた市制60周年記念式典では、阿波踊りの選抜連100人が市総合体育館の舞台や道路ステージに登場。笛、太鼓、鉦の鳴り物入りで踊り込んだ。市を代表する踊りになったわけである。

踊りによる人の輪づくり

　越谷市は人口34万人の中核都市。日光街道の宿場町の一つだが、近年は東京に通勤できる住宅地として開発され、人口は増加傾向にある。しかし市内には、ニュータウン内に立地する映画館併設の大型商業施設以外に

目立った観光資源がそれほどない。日光と浅草の中間だけにより観光に力を入れようと市は2015年に観光課を新設した。観光課長の岩永伸（1971年生まれ）は「市が共催に加わって以降、市内外へのPR活動がしやすくなった。一企業による南越谷地域の祭りから、市を代表する祭りへと位置づけが変わった」と説明する。徳島市と越谷市の両市長賞も2014〜2015年に相次いで新設され、毎年、優れた連に贈られている。

　祭りには本場徳島の有名連が招かれるほか、祭り前には同有名連の指導者を招いた練習会が開かれて技量に磨きをかけることができる。踊りを重ねるうちに各連の技量は高まっていった。2016年の徳島市長賞、2018年の越谷市長賞を受賞した「南越谷商店会　勢連」（45人）は、徳島県主催の「全国阿波踊りコンテスト」に派遣され2017、2018年に2年連続1位を獲得した。副連長の吉田和美（1964年生まれ）は第1回の踊り時には臨時編成の「にわか連」で参加。勢連ができてからは家族ぐるみで参加している。「生まれたのは世田谷区。父の仕事のため中学1年生のとき越谷に引っ越してきた。高校3年間は都内の私立に通ったこともあり、越谷には親しい友達はいなかった。しかし阿波踊りのおかげで地元の人たちとつながりが生まれた。一緒に踊るとすぐに親しくなる。違う連で活動していた夫とは合同の練習会で知り合って結婚した」と打ち明けた。連の大人たちは子どもたちに遠慮なく礼儀作法を指導する。子どもたち同士も兄弟や姉妹のように育つ。踊りが地域の社会関係資本づくりに役立っているようだ。

　「越谷市役所いきいき連」は同市職員で構成する連である。連長の宮城美由紀（1969年生まれ）は蒲生地区センター所長。日本女子体育大学舞踊科でダンスを学び、入庁後すぐに踊り始めた。「市職員は2000人もいる。保育士、技師など普段は接しない職員とも踊りで交流できる。知った顔なら仕事の話も早い」と利点を打ち明けた。ここでも踊りを媒介とした人間関係が構築されていた。

　近年の悩みは稽古場の不足である。先述の吉田は「公民館や小学校体育

館などを借りているが、太鼓を鳴らすと近隣から苦情が来るので禁止されたり、床板が傷むとして下駄を履いた練習が駄目になったり…。稽古場は取り合いになっている」と現状を語った。

もう一つの悩みは後継者不足である。小学生のときは親とともに踊りの輪に加わってくれるのだが、中高校生になると受験勉強やクラブ活動等で忙しくなり、参加者が急減してしまう。しかし若手育成の面は少し光明が差してきた。ニュータウン「越谷レイクタウン」内で 2015 年に開学した私立の叡明高校が、翌 2016 年に「越谷叡明連」を新設したからだ。男女の運動部員で構成する踊り手 20 人に加えて鳴り物担当を希望する男子生徒も 2018 年に現れた。連長を務める教諭の市川浩（1968 年生まれ）は「保護者会や OB 会の助成を得て 120 万円の費用で装束をそろえることができた。地元の泰斗連と一緒に踊らせていただいている。浦和から移転してきたばかりの新設校なので地域に貢献したい」と言った。踊り本番には放送部の女子生徒が各連を紹介するアナウンスを引き受ける。市川自身は鉦をたたく。「2018 年秋の大学推薦入試に合格した高校 3 年生二人は『大学に進学したら泰斗連に入る』と希望している。若手踊り手の獲得に少しでも貢献できた」と市川は笑顔で話した。

〈越谷の夏の風物時〉として、評価と人気は一層高まりそうだ。

4 高円寺の阿波おどり

概要と歴史

南越谷阿波踊りに先行して関東に阿波踊りを定着させた事例が東京高円寺阿波おどりである。1957（昭和 32）年に始まり、毎年 8 月下旬の土日曜に開催される本番では観客が 100 万人近くに達する。本場徳島を除くと全国最大規模である。今では東京の恒例行事として定着した。

始まった昭和 30 年代は地元商店街の振興を狙いとしていた。当初「ばか踊り」と称したが、徳島県人から指導を受け、第 7 回から「高円寺阿波おどり」と名乗った。1976 年に高円寺阿波踊振興協会が設立され、2002

年には東京阿波おどり振興協会に改名した。2007年にNPO法人東京高円寺阿波おどり振興協会（久保田潤一理事長）が発足した。同協会にはJR高円寺駅界隈の11商店街・商店会が名を連ね、商店街理事長や町会長らが理事を務める。同駅南口のパル商店街内に協会事務所が置かれ、専従職員二人とアルバイト5人が雇用されている。協会専務理事・事務局長の冨澤武幸（1958年生まれ）は高円寺で商売を始めて4代目。駅南側のパル商店街で漬物店を経営していたので、3歳から踊ってきた。

　8月下旬に行われる阿波おどり本番は、同協会と実行委員会が主催し、杉並区が共催団体に加わる。演舞場は8ヶ所ある。同駅の北側に二つ、南側に六つが設置される。2018年8月25日（土）〜 26日（日）の際には徳島から5連、高円寺阿波おどり連協会所属の30連、一般参加の83連、合わせて118連が参加して1万人近い踊り手が出演した。周辺道路は午後5時から午後8時まで交通規制された。

　道路上の踊りに加えて、環状七号線沿いの杉並区立杉並芸術会館（座・高円寺）と区立文化施設・セシオン杉並では、両日に合計延べ38連が登場して舞台公演を披露する。入場料は1000円である。駅前広場では8月10日〜 26日（2018年度）の間、テント村が特設され、商店街セールが行われた。2014 〜 2018年度にかけての資金調達状況は表1の通り。

　表1をみると、企業主導の南越谷に対して高円寺の場合はNPO法人主

表1　東京高円寺阿波おどり振興協会の経常収益（2014 〜 2018年度）

	2014	2015	2016	2017	2018
会費	855	865	900	925	900
寄付金（協賛金を含む）	7,116	8,607	8,857	7,841	7,515
助成金等	3,460	3,780	5,330	11,475	4,270
（うち）民間助成金	0	0	500	1,750	500
（うち）地方公共団体補助金	2,000	2,000	3,000	3,344	2,000
（うち）分担金	1,460	1,780	1,830	6,381	1,770
事業収益	39,529	48,036	55,935	63,582	62,499
（うち）大会運営実行事業収益	28,541	38,540	42,974	45,386	45,370
（うち）啓蒙普及事業収益	2,879	8,941	12,463	16,391	16,466
経常収益合計	50,966	61,329	71,036	86,614	75,194

（NPO法人東京高円寺阿波おどり振興協会の通常総会に提出の各年度決算資料をもとに松本茂章作成 [単位千円]）

導で、大会運営実行事業収益が2014年度の2854万円から2018年度に4537万円まで増加するなど、次第に事業規模が拡大してきた。「儲かっている」わけではなく、支出が増えたので「何とか増収を」と懸命の努力を重ねてきたのが実情である。ごみは増えるばかりで、区からごみ収集有料化と分別収集が求められた。警備の費用も急増した。

たとえば外注費は2014年度の205万円から2018年度の656万円になり3倍に増えた。設備装飾費は2014年度の1189万円から2018年度の1794万円になった。安全対策費（警備費）は2014年度の32万円が2018年度に268万円と8倍に膨れ上がった。1998年度まで専従警備員数は毎年26人程度だったのに対して2006年度には190人（延べ380人）に増員。その分の費用負担が重くなった。必要経費なのである。

写真1　商店街は踊り手と観客であふれる
（提供：NPO法人 東京高円寺阿波踊り振興協会）

写真2　観客と踊り手の距離が近い高円寺阿波おどり
（提供：NPO法人 東京高円寺阿波踊り振興協会）

NPO法人東京高円寺阿波おどり振興協会によると、2000年度の決算では年間収益は1353万円にとどまっていた。2018年度の18％程度の事業規模だった。冨澤は「ボランティアでしのいできた運営が限界に達した。商店街の店主らで構成する任意団体の実行委員会では高齢化に伴い、マンパワーが不足するようになった。人件費や外注費など払うべきものは払わないと対応できなくなった」と振り返る。このため2007年にNPO法人が発足。2011年から冨澤が専務理事に就任して建て直しを図った。

　法人化は責任の明確化や財政の健全化を図るためだった。最初に取り組んだのは増収策である。一つに各連に参加費（5万円）を徴収した。二つに各演舞場の桟敷は1口5000円（現在6000～8000円）の協賛者を募った。三つに企業協賛を得るために奔走した。2018年度の場合、ケーブルテレビのJ-COMから500万円の広告費を得た。読売新聞から協賛金200万円と広告費150万円を得ている。

　さらに踊りの通年化を図った。①毎年11月に2日間のホール公演を行う、②毎月第3土曜日を「阿波おどりプラス＋」と名付けホール公演を開催する、③高円寺フェスティバル（秋）に参加して高円寺駅北口広場で演舞する、④高円寺の演芸まつりの際、連の鳴り物演奏者に獅子舞のお囃子を担当してもらう、などに取り組み、通年の観光資源としてPRしている。

阿波おどりホールの開館

　大きな分岐点となったのは、2009年に開館した区立杉並芸術会館（愛称「座・高円寺」）である。JR高円寺駅から線路沿いに5分ほど歩くと、テント小屋のようなこげ茶色の建物が見えてくる。地上と地下各3階、延べ5000m^2。館内に二つの劇場を備えるほか、地下2階に阿波おどりホールを設けた。

　同ホールは各連にとって待ちに待った公立文化施設だった。稽古場が不足するなか、抽選で利用連を決め、午後10時まで稽古に専念できる。区内に本拠を置く48連が優先的に使え、使用料は3時間2100円と安価だ。

南越谷の事例でも触れたように、現代社会では公園で練習すると太鼓や笛の音が近隣に響き、住民から苦情が出る。公民館を借りた練習では、女踊りの下駄履きは床を傷めるとされて使えない。対して同ホールは防音のうえ、下駄を履いた練習も認められている。

　同ホールに対して冨澤は笑顔で「実にありがたい施設」と言い、座・高円寺の効用を四つ指摘した。一つは練習場所を確保できたことで技量向上が実現した。二つには本番時に数多くのボランティアに応援してもらう際、説明会や控室に使用できるようになった。ボランティア用の弁当も保管でき、食中毒を防ぐことができる。三つには同劇場の職員に広報や企画の知

写真3　座・高円寺のユニークな外観
（提供：NPO 法人 東京高円寺阿波踊り振興協会）

写真4　阿波おどりホールの練習風景
（提供：NPO 法人 東京高円寺阿波踊り振興協会）

恵を借りることができるようになった。

　さらに四つには、地域の人々がコミュニケーションをとれるようになったというのだ。冨澤は「同ホールを利用する曜日や時間帯は、地元の諸連が毎月第3木曜の夜に集まり、抽選会を行って決めている。一見面倒に思える抽選会だが、各連の個性的な連長同士が顔をそろえることで、互いにコミュニケーションを図ることができる。大会の運営が円滑になってきた。かつては連同士のトラブルも発生したが、定期的に顔を合わせることで親しくなり、次第に打ち解けていった」と説明した。以前、インターネットを使って抽選をしていたが、直接顔を合わせる方式に変更したところ、意思疎通が図られるようになった。「以前は、主催者の指示を伝えても聞いてもらえなかったが、毎月顔を合わせるようになってから合意形成しやすくなった」と冨澤は打ち明けた。

運営体制の改善

　高円寺の阿波おどりは決して順調に推移したわけではない。むしろ困難との闘いだった。改善策の一つは運営主体の確立である。当初は商店街振興でスタートしたので、主催者団体の「東京阿波おどり振興協会」は寄合所帯。運営に限界が生じてきた。先に紹介したように、21世紀に入ると安全・安心・環境に対する配慮が強く求められるようになった。警備やごみ収集の費用が増大。景気低迷で広告収入は減額され、借入をする事態に陥った。商店街も曲がり角に差しかかっていた。古くからの店舗は廃業が相次ぎ、新規出店したフランチャイズ店は店長の権限が弱く、同おどりへの協力を得られにくい。

　周辺住民から「駅が見物客であふれ、ホームから改札口まで40分もかかる」「人通りが多くて自宅に帰り着かない」などの苦情が寄せられた。運営側は寄り合い世帯なので、前年のやり方を踏襲するのが精いっぱい。トラブルがあっても右往左往するだけだった。

　改善策の二つはボランティア人材の確保である。毎年、都内の大学生が

数ヶ月前から夜になると集まり、同 NPO 法人事務所で打ち合わせを重ねている。早稲田大学、上智大学、立教大学、武蔵大学などから集まってきた。彼ら彼女らは本番にリーダー役を務める。ネットで公募して当日に集まってくる社会人ボランティアたちを引率・指導してくれるので、主催者は大いに助かっている。案内、ごみ回収担当などに分かれて活動する。

冨澤は「うちの組織は開放的なので、千客万来でボランティア大学生を迎える。学生たちは日ごろ暮らす自分の地域では地元の祭り組織に入りづらく、町会長や商店街理事長らと接する機会もない。高円寺で地域社会の実情を知ることになる。このまちをすっかり気に入って、複数の若者が就職後、高円寺に移住してきた」と話した。

三つには地元小学校・中学校との連携である。1万人近い踊り手が衣装に着替えるスペースがなく、小学校の体育館を借りている。児童や生徒からボランティアを募り、清掃活動等に協力してもらっている。その分、踊りに参加してもらうことが大切だ。高円寺の連が学校まで訪れて踊りを指導する。子どもたちが将来、連の踊り手に成長する。

5 浮かび上がってきたこと

高円寺と南越谷を紹介したが、それぞれに歴史と事情があった。高円寺では商店街振興のために始まった。南越谷では地元住宅会社による社会貢献の取り組みとして行われた。多様な形があることが興味深い。両祭りには強い絆があった。南越谷は先輩である高円寺に学び、今も高円寺の連を招待する。高円寺も南越谷の阿波踊りが始まった際に支援した。双方に参加する関東近郊の連も少なくないそうだ。

筆者が感じたことは主に二つある。一つには両者とも地域を代表する芸能に育ち、貴重な観光資源になった。いずれもが地域の誇り形成に貢献し、人々の紐帯となってコミュニティ形成に貢献する。二つには地域芸能は民間のものなのだが、行政の関わり方が教訓になる。南越谷の場合は共催という形になってから道路占用の申請が行いやすくなった。高円寺では区立

杉並芸術会館（座・高円寺）のなかに阿波おどりホールが設置され、地元連の稽古場確保に役立った。

　冨澤の言葉を思い返そう。阿波おどりホールの効用の一つとして、踊りの技量が向上するにとどまらず、場所予約の抽選のために代表者が一堂に会し、顔合わせすることでトラブルが減少したという証言は貴重である。

　地域芸能が人々の交流を促進させ、コミュニティ構築に一定の役割を果たしていることは今回の事例研究で鮮やかに浮かび上がった。逆にいうと首都圏では地域社会の機能が低下しているわけである。よさこい、阿波踊りという南四国の郷土芸能がここまで首都圏に広がった様を見ると、文化の東京一極集中とは別に南四国の文化力の底力を感じさせる。

　高円寺では新たな変容が予想される。地元の 2 小学校、1 中学校を統合した区立の一貫校が 2020 年 4 月に開校する予定だ。冨澤は「使われなくなった元校舎を何らかの形で阿波おどりに使えたら…と希望している。日常の稽古場が不足し、大会本番の際の着替えスペースがない。通年で披露できる公演用舞台も必要なだけに、閉校校舎の活用に注目している」と夢を語った。今後も推移を見守りたい。

　注
　1）松本茂章『日本の文化施設を歩く』水曜社、2015、300-303 頁。
　2）鳴海邦碩「伝統的な祭りの現代的な意義について−都市化の過程にてらして」『都市問題』
　　　2013 年 9 月号、後藤・安田記念東京都市研究所、4-9 頁。
　3）内田忠賢「よさこいが生み出すコミュニティ」『都市問題』2013 年 9 月号、後藤・安田記念東京都市研究所、22-25 頁。
　4）高知よさこい情報交流館ホームページ。http://www.honke-yosakoi.jp/（2019 年 11 月 14 日閲覧）
　5）内田、前掲原稿、23 頁。
　6）『あわだま』ホームページ。http://www.sarugakusha.jp/awadama/（2019 年 11 月 14 日閲覧）
　7）松本、前掲書、184-187 頁。
　8）東京高円寺阿波おどり五十周年記念誌『踊れ高円寺　人が創り街がはぐくむ五十年』NPO 法人東京高円寺阿波おどり振興協会、2006、82-83 頁。
　※本稿では、普通名詞で使う場合「阿波踊り」「踊り手」などと表記する。固有名詞の場合、徳島と高円寺は「阿波おどり」、南越谷は「阿波踊り」と表記しているので従う。ときに「踊り」と「おどり」が混在するのは上記理由のためである。

※越谷市の事例報告は、松本茂章「埼玉県越谷市の南越谷阿波踊り」『公明』2019 年 3 月号の原稿をもとに書き直した。同市の現地調査は 2018 年 11 月 5 日と 12 月 24 日～ 26 日に行った。11 月 5 日には岩永伸とポラス株式会社広報担当者に話を聞いた。12 月 24 ～ 25 日には同社広報担当者、25 日には吉田和美、宮城美由紀、26 日には岩永伸、市川浩にそれぞれ話を聞いた。杉並区高円寺の調査では 2018 年 12 月 26 日と 2019 年 5 月 20 日、冨澤武幸に話を聞いた。

5-2
道路高架下のアートマネジメント

川本直義

■1 高架下という可能性を秘めた空間

　本書は、文化政策と関連分野との密接な連携を図った各地の事例を紹介している。その中で本節では、既存の文化施設（博物館、美術館、文化会館など）の外側にある都市部の道路高架下空間に着目して、これらの空間でも文化や芸術に活用することが可能であること、文化活動を通じて地域の振興に役立つことを紹介したい。

　平野部が少ないうえ、大都市に人口や企業が集中する日本において、政府は都市部における未利用スペースに注目して、積極的な利用促進を目指している。なかでも鉄道や道路の高架下の利用は手つかずのところが多く、可能性を秘めている。

　高架下をめぐる行政の動きを振り返ってみよう。戦前の1940年には、当時の内務省と鉄道省により「道路と鉄道との交差方式並びに費用負担に関する内務・鉄道両省協定」が結ばれ、立体交差させる制度づくりを図った。戦争を経た1969年には、当時の運輸省と建設省が「都市における道路と鉄道との連続立体交差化に関する協定」を締結した。高架化に伴い、多数の踏切をなくして、渋滞や事故の解消を目指した。都市交通を円滑にしようと図ったのだった。

　都市部の鉄道高架下では収益施設としての活用が図られてきた。繁華街では高架下に店舗を設置する事例がみられる。鉄道の場合、駅が近くにあるなら人々の通行量が多くなり、活用しやすい。同時に鉄道高架下の活用は駅の利用者を増やす方策の一つでもある。

　しかし、鉄道と比べて手つかずの事例が多いのが道路の高架下である。なぜなら国道や都道府県道、市道などの公道の場合、活用にあたって公共的・公益的利用が優先されるため、民間の活用は容易ではなかったからだ。そ

して閑静な住宅街のなかを走る道路では、その高架下の活用にも限界があった。住民の抵抗も予想された。

　道路高架下の空間は、薄暗く、周囲から死角になりやすい。雨が降っても濡れないこともあり、住まいのない人々が住み着いたり、犯罪の温床になったりする恐れもあった。このため地元住民は活用をそれほど歓迎せず、協力は得られにくかった。結局、管理のしやすさを優先する行政がフェンス等でふさぎ、人々の出入りを制限することになる傾向があった。

　国や自治体などによって「公の目的」に供される「有体物」（道路、河川、港湾、空港、漁港など）を「公物」と呼ぶ。それぞれに応じて公物管理法が制定されており、道路法はその一つである。道路法は公物管理法のなかで最も古く、1952年に公布された。「道路網の整備を図るため、道路に関して、路線の指定及び認定、公共の福祉を増進すること」などと定められている。

　道路の高架下空間も道路であるため、公物として不特定多数の公衆による利用が阻害されることがないように保全することが前提としてあるが、先に触れたように高架下の活用が促進されるなか、道路という公物に対して、国土交通省道路局は2005年、「高架道路下占用許可基準」を改正した。従来の活用は事実上、広場、公園、駐車場等に限定されてきたものの、街づくりの観点等から、高架道路の下も含めて賑わいの創出が必要となるケースが生じ、改正を行った。

　さらに国土交通省は2009年1月、道路局長名で「高架の道路の路面下及び道路予定区域の有効活用について」を通達した。直接的に通行の用に供していない道路高架下は、まちづくりの賑わい創出などの観点から、暫定利用を含めた一層の有効活用の推進を求めた。同省が2017年に開いた国土交通省社会資本整備審議会道路分科会では、「道路占用・空間のオープン化」を推進し、道路空間を、地域の魅力向上等を図るべきであると指摘した。「オープン化」を推し進めることで、地域の人々も含めた道路利用者や道路管理者等の意見共有を図り、議論の場やルールづくりを行いながら、新たな官民連携を促進すべきとした。

2 各地で進む高架下活用

　鉄道高架下の活用は、昭和の時代から進められていた。東京ではJR新橋駅近くのガード下に多くの飲食店が入居して、仕事終わりのサラリーマンやOLらでにぎわっている。神戸の三宮駅から元町駅までのガード下には、多様な店舗が営業している。首都圏、東海圏、関西圏など都市部に暮らす人々なら、高架下の店舗を一度は利用したことがあるに違いない。

　2010年12月には、秋葉原－御徒町の両駅間のJR山手線高架下の空間を利用して、「2k540」がオープンした。JR東日本都市開発が、雑貨店や飲食店など49店舗を集めた施設で、東京駅から2km540mの距離にあるということで命名され、話題を集めた。ここには、「ものづくり」をテーマとしたクリエイティブな店が並んでいる[注1]。

　名古屋市の北区では、名鉄瀬戸線尼ケ坂－清水の両駅間の高架下に「SAKUMACHI商店街」が2019年3月にオープンした。規模は小さいが、住宅地に新しいオシャレな商店街ができたことで話題になっており、名古屋鉄道はさらにこのような高架下利用を進めていくようだ[注2]。

　鉄道の場合は民間が所有しているので活用しやすい。盛んな鉄道高架下利用に対して、道路の高架下の利用は目立たなかった。先に紹介した公物管理法によって活用に事実上の制限があったので、公園などに限られていた。しかし、2005年の同省による占用許可基準の緩和に伴い、道路高架下空間の整備に取り組む動きがみられるようになった。たとえば、愛媛県宇和島市では、2005年、一般国道56号宇和島道路の宇和島坂下津I.C.から宇和島朝日I.C.までの区間の高架下について、同省四国地方整備局が市民や行政（愛媛県、宇和島市）と協働してワークショップ方式による高架下利用方法を検討した[注3]。

　そして、2009年の同省の通達を受けて、横浜市では高架下の有効活用を実施するための環境整備を進め、2010年9月に要綱を定め、検討会を設置し、高架下道路の有効活用を積極的に進めている。保土ヶ谷区の環状

2号線川島高架下では、公募で利用者を募集し2011年レンタル物置を利用用途とする民間事業者を選定した。そこでは、収益事業だけでなく地元町内会へ防災備蓄倉庫として提供するなど地域貢献もあわせて行っている。また、磯子区では、環状2号線屏風ヶ浦高架下に保育所を建設し2013年に開所し、市が掲げる「待機児童ゼロ」の実現に貢献している[注4]。高速道路の高架下の利用は各地で行われているが、名古屋高速道路の高架下も積極的に活用されており、広場、駐車場などへの活用の他、名古屋市中村区では、高架下に六反コミュニティセンターが建てられている[注5]。

3 名古屋市千種区の市道高架下で起きた「奇跡」

　筆者は、名古屋市に本社を置く建築設計事務所の職員であるが、まちづくりコンサルタントの業務を引き受け、官民協働のまちづくりをコーディネートしてきた。そのなかで「高架下の活用」といえば、忘れられない事案がある。名古屋市千種区の市道を高架で建設した際、閑静な住環境が壊されると心配した住民が反対運動を始め、行政（名古屋市）を相手取って住民訴訟を起こした事案である。筆者は行政と住民の間をつなぐコンサルタントとして同事案に関わった。

　住民は敗訴したのだが、名古屋市も歩み寄り、最終的には住民と行政が協働して高架下空間整備計画を作成し、官民の間で信頼関係を築いた。道路開通後、高架下の空間は「和みの散歩道」と名付けられ、住民主導の形で管理運営が行われた。同散歩道ではアートイベントが繰り広げられ、音楽会や美術作品の展示場所として活用された。人々がつながる場となった。

　住民らで発足した管理運営団体「和みの散歩道の会」は、2014年度、愛知県から「人にやさしい街づくり賞」を受賞した。翌2015年度には、国土交通省中部地方整備局が事務局を務める中部の未来創造大賞推進協議会が主催する「中部の未来創造大賞」の大賞に選ばれている。

　今、振り返ってみても「奇跡的な転換ができた」と筆者は思う。人と人のつながりが生まれた背景には、文化芸術の力が働いたと考えている。地

域づくりと文化活動の関連性に思いをはせながら、この事例を紹介したい。

千種区における都市計画道路・池内猪高線の整備

　「和みの散歩道」は、官民協働の好事例であるが、簡単に実現したわけではない。経緯を振り返ることで、文化芸術とまちづくりについて考える。

　まず、名古屋市千種区を紹介する。千種区は同市の中央からやや東部に位置し、人口約 16 万 6000 人。名古屋屈指の高級住宅街として知られ、主要道路から一歩中に入ると静かで落ち着いた住宅街が広がる。「2015 年版 名古屋市在住者が選ぶ住みたい街ランキング」で 1 位になった[注6]。椙山女学園など大学や高校が多くあり、学生向けの飲食店やファッションビルが立ち並ぶ。また著名な寺院・覚王山日泰寺（仏教各宗代表が協議して 1904 年に建立）などの神社・仏閣も多く、歴史的資源に恵まれた地域である。丘陵地であるので、「山の手」と呼ばれることもある。

　なかでも城山・覚王山地区では、2003 年から「やまのて音楽祭」が始められた。神社仏閣などを会場にした催しで、地区の住民組織、商店街、寺社、市民団体、大学教員などで構成する市民団体「城山・覚王山地区魅力アップ事業実行委員会」が毎年 3 月、恒例行事として開催を続けた。2007 年度、2008 年度には文化庁の「文化芸術による創造のまち」支援事業にも採択された。これを機会に、市民が自立して開催できるようコーディネートした結果、2010 年に、実行委員会は市民団体「ちくさ・文化の里

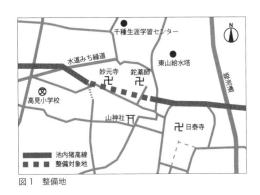

図1　整備地

づくりの会」に発展して、区役所から独立して活動を続けている。

　このような文化的に恵まれ、閑静な住宅地である千種区を東西に貫通する名古屋市道・池内猪高線とは、どのようなものなのだろうか？

　池内猪高線は 1946 年に都市計画決定された、千種区の内山都通 2 丁目交差点と名東区平和ヶ丘猪高車庫前交差点を結ぶ全長約 4.6km の都市計画道路である。1993 年の時点で未完成区間だったのは千種区振甫町高見小学校北交差点の東側から田代町姫ヶ池通一交差点までの 752m。そこで名古屋市は、高架橋と側道式の道路構造を持つ市道の建設を計画。1993 年、愛知県から整備の事業認可を受け、2003 年 10 月に着工した。

　しかし、地域住民らが高架式の道路にすることに対し反対運動を始め、着工から 2 年後の 2005 年、名古屋市を相手どり、道路工事差止請求の民事訴訟を、そして翌 2006 年には愛知県に対して事業認可処分取消請求の行政訴訟を、それぞれ起こした。裁判は行政側の勝訴で結審。工事が進められ、2013 年春に完成して開通した。

キーパーソン二人との出会い

　この道路高架下活用をめぐって、官民協働のキーパーソンが二人いた。

　一人目のキーパーソンは、先述した「やまのて音楽祭」の実行委員として参加していた主婦、A さんである。A さんは、自宅の前が長らく未整備だった都市計画道路池内猪高線であり、高架道路の建設が具体化してきたことで、周囲の住民たちとともに建設反対の運動を行っていた。しかし、A さん宅の前にコンクリートの巨大な橋脚がつくられた。A さんは、音楽祭以外の市民活動にも参加していたが、他の市民を反対運動に巻き込むなどはせず、純粋に音楽祭などのために活動されており、筆者も高架道路建設については中立の立場で接していた。高架道路の建設が進んだ際、A さんは、「出来てしまったものはどうしようもないが、せめて高架下空間は魅力的なものとしてほしい。自宅前の高架下空間で音楽会を開催できないだろうか」との考えを筆者に語った。A さんの思いを実現したいと思った。

キーパーソンの二人目は、名古屋市緑政土木局の道路行政の職員Bさんである。ある研究会で知り合ったのだが、Bさんは、都市計画道路・池内猪高線建設の担当をされていた。愛知県から事業認可を受け、国土交通省の補助金を得て進めている道路建設事業が建設反対の住民から裁判に訴えられ、住民に向かい合わなければならなかった。Bさんは「地域の人全員が反対しているように見えて、現場を歩くのも怖かった」と振り返っている。行政側が勝訴して工事が進むなか、高架下の具体的な整備案は決まらなかった。地域住民から意見を募集して案を提示しても、行政の姿勢に不信感を持った住民側は納得しない状態だった。Bさんは、住民と一緒にワークショップを開催して整備計画を検討したいと願ったが、そんなことができる関係でないことは明らかだった。「地域住民の人には嫌われているが、高架下の空間は住民が喜ぶものをつくってあげたい」と筆者に語った。

　筆者は、高架道路の建設反対運動をしていたAさんと、高架道路の建設を進めるために奔走していたBさんでは、立場が違うものの、高架下空間の整備に対する想いが一致していることを知った。両者が協力し合えばよいものができるはずだと考え、2人の間に入り、高架下の整備計画について3人で話し合いをする機会を設けた。2009年10月のことであった。そして住民と行政が協働して整備計画をつくることで合意した。Aさんは早速周辺住民に呼びかけ、住民側の意識を固めることに動いた。Bさんは名古屋市の取り組み体制を整えるために動いた。筆者は、まず協働のパートナーとなる住民側の体制づくりに取り組んだ。

官民協働による高架下空間整備計画検討

　住民側は反対運動で結束していたので、話は早かった。Aさんの呼びかけで、高架道路に面する地域住民が集まり、高架下道路整備を検討するための「日泰寺西のみちを考える会」が2010年2月に立ち上がった。他の高架下空間の使われ方を研究したり、名古屋市が行ったアンケートの結果を確認し話し合ったりした。緑豊かな状態にしたいが、高架下で植物が育

つか、どんな植物がふさわしいかなどの勉強会を開いた。半年ほど続いた勉強会には名古屋市職員もオブザーバーで参加した。

　一方、行政側の動きは緩やかだった。行政訴訟を起こされただけに、協働による整備計画策定に踏み切れなかった。そんななかBさんは同道路建設の担当から他部署に異動となり、後任の道路建設課の担当に託して庁内を説得して歩いた。同市の道路行政では前例のないことだったので、準備期間が必要であった。整備計画を検討する道路は、地域住民の生活に密着したものであると同時に、地区全体の地域資源ともなると考え、検討委員会の委員は全員公募することにした。そして2010年12月、「池内猪高線高架下・側道空間の整備計画検討会」がスタートした。

　月1回のペースで整備計画検討会は開催されたが、合意形成は簡単にはいかなかった。高架道路建設に強く反対していた住民と、もともと行政に協力的で高架道路建設にも反対していない住民とでは、発想が異なっていたのだ。道路建設前の環境に近い、水と緑のあふれる魅力ある空間をイメージして整備したいとの考えがある一方、整備後の管理が住民負担になると維持できないために行政の望む管理にすれば良いとの主張もあった。意見が食い違う中でアイディアを出し合い、課題や現実性を住民と行政が一緒に何度も議論した。高架下で植物が育つのか、議論しているだけでなく試してみようと、現地にプランターを置いて、地域住民が水遣りを継続した。そのうち、高架道路近くの住民による協力によって、整備後の管理への不安が徐々に消えた。植栽に反対した住民も理解するようになった。

　住民と行政が一緒に検討を進めていくうち、住民も行政の立場を理解するようになった。同市の担当職員が、整備費用の予算獲得の難しさについて正直に話をすれば、住民側も理解した。住民は、自分たちが希望する整備がどのくらいのコストがかかるかを知ると、遠慮がちにもなった。コスト比較をしながら整備方針を決め、市が維持管理に不安を持っていることがわかると、住民側は自主管理の体制づくりを約束するなど、実現に向けて協力的な関係が生まれた。

検討会は次第に信頼関係を構築できる雰囲気になっていったが、それでも整備計画の方針は決まらなかった。一気に方向性が一致することになった契機は、同じ千種区内にある鍋屋上野浄水場の赤レンガ再利用計画が浮上したことである。明治末期から大正初期に焼かれた愛知県産のレンガが不要になり、再活用したいという願いで、住民と行政は一致した。というのも、高架下空間のすぐ近くに東山給水塔があったからだ。1930年に建てられた同給水塔のおかげで、同地域には「水道のイメージ」があったので、鍋屋上野浄水場のレンガを高架下空間に使う整備案は、地域の歴史や文化の継承という意味で全員が理解できた。整備方針がまとまると、全体のコンセプトは「和みの散歩道」となった。行政も住民も、「地域の緑と水と歴史を大事に」「住民の気持ちを大事に」「地域のコミュニケーションの場となるように」の考えを共有した。

　2011年10月、整備計画案の報告会を開催し、市民検討委員が同市緑政土木局長に整備計画案を手渡した。この場に筆者も立ち会ったが、高架道路の建設で対立して行政訴訟を起こしていた住民が、自分たちで整備計画案を作成して提案するなど、だれが予想していたことか。名古屋市が認めてくれたことに住民たちが感謝した瞬間だった。

「和みの散歩道の会」の発足と活動

　道路高架下の整備工事は2012年秋に始まった。工事に先立ち、整備計画検討会委員の有志が中心となり同年7月、管理運営団体「和みの散歩道の会」を発足させた。2013年に入ると、工事業者の協力で、市民参加の施工ワークショップ「レンガの花壇をつくろう」、「レンガの花壇に木や花を植えよう」というイベントを開催し、地域住民の期待感を高めた。花壇に使用するレンガに、参加した地域住民がメッセージを書き積んでいくという企画には子どもたちも喜んで参加した。メッセージは見えなくなってしまうが、自分のメッセージが書かれたレンガが使われた花壇ができることで、同散歩道に愛着がわいてくれることを願った企画である。2013年

4月には、和みの散歩道オープン記念イベントを開催した。高架下での音楽演奏には周辺の住民が大勢集まった。

　和みの散歩道の会は、春と秋に公開イベント「ザ・和みの散歩道祭」を開催。整備された広場で演奏会を開催したり、高架下で絵画や写真、陶器の作品などを展示したりした。音楽演奏は、「ちくさ・文化の里づくりの会」が主催する「やまのて音楽祭」に参加する形で実施したので、市民団体間のネットワークも広げていった。作品展示については、和みの散歩道の会の会員から作品を募集したため、会員を増やすことにも貢献した。イベント設営スタッフは当初、高架道路近くに以前から居住する住民が大半だったが、イベントを続けるうち、新しく住民となった若い世代も参加するようになっていった。さらに地元地域以外の人々も文化活動に関心を持って同会に参加するようになった。

　和みの散歩道の会のコアメンバーである近隣住民は、高架下の日常的な

写真1　施工ワークショップ「レンガの花壇に木や花を植えよう」

写真2　高架下で演奏会

写真3　高架下で作品展示

管理も行っている。市道なので、同市千種土木事務所が管理する道路ではあるのだが、地元住民が日々、花壇の手入れ、水遣り、清掃、マナーの悪い方への注意などを行っており、きれいな散歩道の状態を保っている。

　同会の活動は国からも評価され、「中部の未来創造大賞」に選ばれた。地域住民にとって「負の遺産」とも捉えられがちな巨大なコンクリート構造物を、文化芸術の力などを活用し積極的に有効な空間に変えたことに対する高い評価には感慨深いものがある。

4　浮かび上がった教訓

　都市計画道路池内猪高線の高架下空間の整備と活用が、上手くいった理由を振り返ってみよう。一つには、整備計画で合意形成できた理由は、地域の歴史と文化の象徴だった水道施設のレンガを活用したことだ。地域の人たちが価値を共有するためには、地域の歴史・文化が重要であることを改めて痛感した。二つには、高架下空間の活用に多くの市民が参加する背景には、音楽や美術など芸術の力が大きかったと思われる。文化芸術によって、誰にでも散歩道の行事に参加しやすくなったのだった。文化芸術には場をオープン化する力がある。三つには、住民訴訟を行ったのは地縁の住民たちだったが、文化芸術に関心のある地域外の人たちが和みの散歩道の会に入会することができて、人的ネットワークが広がった。地域の課題に取り組む地縁の住民と志縁団体的な要素のある和みの散歩道の会が交差して、地縁と志縁の

両方の良さを備えるようになり、人々のコミュニケーションが促進された。

　しかし、今後の課題も多い。和みの散歩道の会は、2018年春にイベントを開催した後、イベント活動を中断させた。中心メンバーの中で活動の見直しを求める声が上がったからだ。同じような企画を続けてきたので、作品が集まりにくくなったこと、世代間での考え方の違いも生じてきたことなどが理由だという。今後は、イベントを開催するのではなく、常設展示をして、「文化と芸術と健康のみち」としていく考えのようだ。とはいえ、清掃など日常的な活動は続けており、会自体は存続する。高架下での発表希望者があれば支援する姿勢であり、無理をしないで同会を若い世代に引き継いでいきたいというのが同会メンバーの考えだ。

　筆者の経験から言うと、文化芸術をまちづくりに取り入れる際、気をつける点は、文化芸術を目的化しないことである。アートイベントの開催を義務と考え、本来の目的を見失ってしまうことは避けたい。効率よくイベントを開催することばかり考え、創造性に欠ける内容を開催してしまう傾向がある。そうなるとイベントの魅力は次第に失われ、新しい人材も集まらなくなる。残ったスタッフが義務感で継続して疲弊してしまう。このような事態にならないよう、魅力あるアートイベントの継続を考え、地域づくりとの連携を行うために欠かせないことがある。それは文化芸術に詳しく、地域の文化やまちづくりにも精通した専門人材が必要であることだ。いわば「アート＆まちづくりマネージャー」という新たな人材である。彼ら彼女らの育成と登用が急務である。

注
1）2k540　http://www.jrtk.jp/2k540/
2）SAKUMACHI商店街　http://sakumachi-syoutengai.jp/
3）藤岡大悟（四国地方整備局）「ワークショップを活用した宇和島道路高架下における有効利用の検討について(中間報告)」(平成17年度国土交通省　国土技術研究会　2005年10月26日発表) http://www.mlit.go.jp/chosahokoku/h17giken/program/kadai/pdf/account/acc-08.pdf
4）横浜市道路局建設課「高架下等の有効活用事業について」『道路行政セミナー』(2013.5)
5）名古屋高速道路公社　http://www.nagoya-expressway.or.jp/seibikoka/06_02.html
6）リクルート住まいカンパニー「2015年版名古屋市在住者が選ぶ住みたい街ランキング」 http://www.recruit-sumai.co.jp/press/150317_sumitaimachi2015nagoya.pdf

5-3
空き家対策とアートマネジメント

松本茂章

１ 国を挙げての政策課題に浮上した空き家対策

　人口減少に直面する日本にとって急増する空き家をどうするか？　は深刻なテーマである。本節では空き家を活用したアートの取り組みを紹介することで、この課題に別の角度から光を当ててみよう。総務省が５年ごとに公表する住宅・土地統計調査によると[注1]、日本全国の空き家の数はバブル経済当時の1988年に394万戸だったが、2013年調査では819万戸余に増えた。2018年調査によれば、全国の空き家数は計848万戸余に達し、５年間で30万戸近く増加した。空き家率は全体の13.6％で過去最高。７戸に１戸が空き家なのだという。

　同統計では空き家の種類を「二次的住宅」「賃貸用住宅」「売却用住宅」「その他の住宅」と分けている。借り手や買い手を募集していない「その他の住宅」が最も深刻である。「その他の住宅」の全国平均は5.6％。山梨、和歌山、長野などに多い。

　空き家になった理由は多様だ。「物置として必要だから」「解体費用をかけたくないから」「特に困っていないから」「将来、親族が使うかもしれないから」「好きなときに利用や処分ができなくなるから」などの答えが多い。空き家が増えると地域社会に影響する。たとえば「風景・景観の悪化」「防災や防犯機能の低下」「ゴミなどの不法投棄等を誘発」「火災の発生を誘発」「悪臭の発生」などが指摘されている。

　このような事態のなか、空家等対策の推進に関する特別措置法が2015年に施行された。同法第２条第１項では「空家等」の定義を行い、「建築物又はこれに附属する工作物であって居住その他の使用がなされていないことが常態であるもの及びその敷地（立木その他の土地に定着する物を含む。）」とされた。第２項では「特定空家等」を定め「そのまま放置すれ

ば倒壊等著しく保安上危険となるおそれのある状態又は著しく衛生上有害となるおそれのある状態、適切な管理が行われていないことにより著しく景観を損なっている状態（中略）にあると認められる空家等」とした。第14条によると「特定空家等」の所有者に対して市町村による行政代執行の要件が緩和された。

さらに2018年7月に改正都市再生特別措置法が、2019年6月に改正建築基準法が施行された。前者の改正都市再生特別措置法では、空き家や空き地などの「低未利用地」について市町村が集約して有効活用の計画を策定できる制度を設けた。後者の改正建築基準法では戸建て住宅に関して福祉施設や商業施設などに用途変更する場合の規制を緩和した。大規模な改修工事を不要としたり、手続きを簡素化したりして転用を容易にした。

2 各地の動き

空き家対策条例を制定している自治体もある。日本都市センターによると^{注2)}、茨城県牛久市、埼玉県秩父市、京都市、兵庫県丹波篠山市、同県加東市、同県丹波市などでは、新たな入居者を探して定住の促進を図ったり、地域の交流拠点などに変身させて地元活用を促したりするなど、空き家有効活用を推進する規定を条例に盛り込んでいる。

城下町で知られる兵庫県丹波篠山市では、近年アトリエを求める美術家らが移住してくる事例が目立つ。移住した美術家らは国の重要伝統的建造物群保存地区（重伝建地区）の商家等を活用して、2年に1度、丹波篠山・まちなみアートフェスティバルを開いている。

京都市は、芸術系大学が数多く立地する「学都」なので芸術家を目指して進学してくる若者が絶えない。卒業後は創作の場を見出しにくいため、空き家の提供等で支援を図る政策に取り組んでいる。2011年度から始めた事業が「東山アーティスツ・プレイスメント・サービス（HAPS）^{注3)}」である。同市は年間2000万円程度を負担する。実行委員会の事務所は、同市東山区・六原学区内にある古民家（大和大路通五条上ル）を改装して

設けた。支援活動は主に四つある。「物件マッチング」（芸術家からの住まい、アトリエ確保の相談、空き家を見つけて所有者と交渉）、「地域連携」（地域団体などからの要請で芸術家をコーディネート）、「スタジオ」（閉校小学校の6教室を借りてアトリエに活用）、「キュレーター招聘」（国内外から第一線の学芸員らを招き、若手芸術家に紹介）である。

京都文化芸術都市創生計画（改定版）のなかに「若手芸術家等の居住・制作・発表の場」づくりが盛り込まれたことが背景だ。狙いは二つ。一つは、市内の芸術系5大学から毎年2000人が卒業するので、若手芸術家が京都で暮らしながら生計を立てられるように図った。二つには、居住する新進芸術家のエネルギーをまちの活性化につなげたいと考えた。東京一極集中が進むなか、せっかく京都で学んでも仕事は東京で見つける場合が少なくない。「上京しなくても芸術活動できるモデル」の構築を目指した。「芸術家が食べていけるための新たな政策」（同市幹部）だった。

HAPS は常時よろず相談を受け付けている。事業開始から2017年3月までの実績は、「暗室作業ができる場所がほしい」「染色の3人でシェアできるスタジオ物件を探している」など芸術家からが計372件。「家が空いているので芸術家のアトリエに使えないか」など家主から126件が寄せられた。このうち計64件で貸し借りが成立した。

六原学区に事務所が置かれたのにはわけがある。同学区（30町）は清水寺、祇園、円山公園などの著名な観光地から徒歩圏にある。一方、空き家が市内屈指に多いうえ、住民組織・六原まちづくり委員会が本気で対策に取り組んできたからだ。2006年の調査によると六原学区で200戸の空き家が見つかり、同委員会が立ちあがった。このあたりでは、昭和40年代まで清水焼の職人らが住み着き、登り窯で陶器を制作していた。煙公害で窯元が郊外に移転するまで、普段の暮らしに工芸家の姿が見られた。このため「若い芸術家を支援しようという機運がある」と同委員会幹部は話していた。若い芸術家が古民家に入り、自ら改装して住みつくと、自治会に参加して年数回の行事にも参加するようになる。高齢化で回覧板を回す

ことも難しい町会も、若い芸術家が新たに加わると活気が出てくる。

　筆者自身、六原地区を何度も歩いた。訪問するたびに新たな発見がある。アーティストが空き家を改装した洒落たカフェが新規開店するなど、まちが変わっていく様子を楽しめる。六原まちづくり委員会の委員長は「芸術家は自らの手で改装することを楽しむ人たち。僕らが『とても使えへん』と思う、相当ぼろい物件でも活用してしまう」と笑って話していた。

　HAPS 実行委員会エグゼクティブ・ディレクターの遠藤水城（1975 年生まれ）は筆者の聞き取り調査に対して「HAPS は空き家対策が注目されがちながら、『アーティストとは何か』という再定義を使命としている。美大を卒業して画家になり、作品が美術館に購入される。分かりやすい道だが、美術館に頼らなくてもアーティストは成立するはず。作品を作りやすい環境を整えることこそが大切」と言葉を強めて話していた。空き家の活用は美術のありようを組み直す動きでもある。

③ 鳥取における空き家を活用したアートの試み

　最近、空き家を活用したアートの試みで注目されるのが鳥取である。鳥取県の人口は 2019 年 6 月 1 日現在 55 万 6686 人である。47 都道府県で最も少ない。人口最大の東京都（2019 年 1 月 1 日現在）は 1385 万 7443 人だから鳥取県は東京都の 4.017％にとどまる。この小さな鳥取県では近年、空き家をリノベーションした内発的な取り組みがみられるようになった。山陰の地方都市でいったい何が起きているのだろうか？

旧横田医院を活用した「ホスピテイル・プロジェクト」

　梅雨の時期ながらも青空の広がった 2019 年 7 月 9 日の早朝、筆者はJR の特急「スーパーはくと」に乗車して鳥取市に向かった。注4) 山陰を訪れたのは 2013 年以来だ。同市中心市街地の商店街はシャッターを下ろした店舗が多くみられ、歩く人の姿もまばらだった。JR 鳥取駅から北に 5 分程度歩くと、黒ずんだクリーム色をした円筒形の建物が見えてく

る。旧横田医院である。敷地面積 728.49m² で、建物は鉄筋 3 階建て延べ 679.14m²。1956 年に建てられ、胃腸外科として外科手術を行った。1996 年に廃院となり、家族が県外に転居して以来空き家だった。当時は円形の建物が流行した。学校校舎は残されているものもあるが、個人のものとなると珍しい。

　旧横田医院の存在は、横浜市課長から 2005 年に鳥取大学地域学部教授へ転じた野田邦弘らが見つけた。赴任後の 2 年間、鳥取県の「知の財産活用推進事業」の補助金を得て県内の主な空き家を調査した際に判明した。野田らは「現代美術のギャラリーに活用したい」と考え、所有者と交渉した結果、無償で借りる覚書を交わした。当時、同医院を文化財登録するための研究会が発足しており、同研究会がホスピテイル・プロジェクト実行委員会（代表・野田邦弘、6 人）に転じて、2012 年度から現代美術等の事業の主催を始めた。開始以来、キュレーターは県立博物館主任学芸員・赤井あずみ（1975 年生まれ）が務めている。

　現代美術の場に…と発案されたのにはわけがある。県立美術館がないからだ。県立博物館に美術部門が設けられているものの、現代アートに関する展示・企画は他県に比べるとどうしても少なかった。

　「ホスピテイル」とは後期ラテン語の「来客のための大きな館」を意味する言葉という。主に五つのプログラムを展開中だ。①芸術家を招聘して

写真 1　円形が印象的な旧横田医院の建物

作品制作・展示を行うアーティスト・イン・レジデンス事業、②展覧会や
パフォーマンスを行うギャラリー事業、③広い敷地を活用して樹木の剪定
や草取り、野菜やハーブの栽培、窯を設置してのピザづくりなどの庭プロ
グラム、④文化関係者を招いたレクチャーシリーズ、⑤図書館＆カフェ事
業（月1回開催）、である。図書館＆カフェ事業では、読まなくなったけれ
ど捨てられない本800冊を集めたり、昔の8ミリフィルムを収集してデジ
タル保存を図ったりする。このほか人材の育成や交流のための事業も行う。

　初年度の事業費150万円は県補助金や鳥取大学の経費等で捻出した。そ
の後、文化庁の助成金や県の補助金、鳥取市の中心市街地活性化イベント
補助金などを集めて継続してきた。2018年度の事業費は360万円だった。

　キュレーターの赤井あずみは同県米子市出身。京都大学法学部に進学し
たが、4年生のときに京都国立近代美術館でピカソ展を見て人生が変わっ
た。「作品に果てしない自由さを感じた」。就職が内定していたものの、京
大の総合人間学部に編入学して美学を学び、京都・三条の現代美術ギャラ
リーでアルバイトをした。2002年、鳥取県立博物館の学芸員に採用され
て県内に戻ったものの、2008年に「修行に出る」ために退職。東京や名
古屋でキュレーターを体験した。旧横田医院のプロジェクトを計画した野
田の誘いで再び帰郷。当時は貯金を取り崩しながら生活する日々だったが、
2013年、同博物館の欠員募集に応じ、再び採用された。

　赤井は「鳥取大学のプロジェクトだからこそ、大家さんの理解を得るこ
とができた。旧横田医院を初めて見たとき、場の持つ力が面白いと思った。
展覧会をやれると直感した」と振り返った。野田は「鳥取では、JRの中
心駅から徒歩5分のところに、こんなスペースが残されている。東京や
横浜などの大都市では考えられない」と地方都市の魅力を語った。

元旅館を活用した「ことめや」プロジェクト

　同プロジェクト実行委員会は2013年2月、旧横田医院に東京の劇団「悪
魔のしるし」を招いて「搬入プロジェクト」を行った。建物を測量して、

ぎりぎり入る長さ13mのオブジェを設計・制作。藁で巨大な蛇をつくり、藁に身を包んだ異形の者たちが2時間がかりで建物内に押し込むパフォーマンスだった。オブジェは3月まで医院で展示された。

　劇団の10人は2週間ほど鳥取に滞在して制作する必要があった。しかし限られた予算のなか、ホテルに宿泊してもらう費用を捻出できない。旧横田医院は老朽化して水道が壊れているので寝泊りは無理だった。そこで徒歩2〜3分離れた元「とめや」旅館（廃業）の所有者の理解を得て安く泊めてもらった。これが契機となって旧横田医院で展開するアーティスト・イン・レジデンス事業のために、元「とめや」旅館をスタジオ兼宿泊場所として活用する運びになった。JR鳥取駅から徒歩4〜5分の近さである。

　筆者は木造3階建ての内部を視察させてもらった。玄関で靴を脱いで上がると目の前には「WE ARE FAMILY」と書かれた看板が掲げられていた。1階には受付（6畳間）と並びの居間（6畳間）、坪庭を隔てた奥の間（8畳間）が設けられ、さらに風呂、脱衣場、台所、倉庫を備える。2階には4畳半から6畳間までの客室8室がある。柱には「鶴」「桜」「憩」「白菊」等の名前が付けられていた。3階は倉庫だった。

　豪華な内装に驚いた。欄間の彫り物は手が込んでいる。床の間に竹が使われ天井は網代編みだった。お風呂の浴槽も石造り。案内してくれた所有者の岩原秀和（1950年生まれ）は「1943年に建てられた元遊郭の建物で、当時は『開春（かいはる）』という名前で、祖母が切り盛りしていた」と話した。1958年の売春防止法の施行以降、通常の旅館に転換して経営を続けた。経営していた祖母の名前（「とめ」）から「とめや」旅館と名乗った。1997年の廃業のあとは空き家だった。

　岩原の話によると、明治時代から駅前近くの瓦町に「因州衆楽園」（今でいうレジャーランド）が開設され、料理屋、射的場などが集まっていた。昭和に入って「瓦町新地」と呼ばれたそうだ。

　現在は「ことめや」と名付けられた。「一緒に何かしたい」との熱い思

いから「Co」を「とめや」の頭につけた。赤井が岩原と契約し、毎月1万円の家賃を支払う。1階は市民団体などに有料で貸したり、コワーキングスペース（共同の仕事場）として使ったり。3時間600円、3時間以上1000円に料金設定された。Wi-fiを完備している。2階のうち5室は滞在芸術家のためのスタジオ兼滞在場所として活用する。破格の家賃と電気・水道・ガス代を含めると毎月5万円程度の維持費が必要になる。年間60万円。施設使用料等の収入が入るので、差し引きして、年間赤字は6万円程度といい、赤井は「生活費を節約すれば何とかなる金額」と話した。

　所有者の岩原は子どものころ同旅館に暮らした。長期滞在者と親しくなり、日曜日には一緒に遊びに外出するほど家族同然の付き合いだった。「両親が残してくれた旅館は木造のしっかりした建物なので100年は持つ。売る気持ちはない。借金してでも持ち続けたい」と話した。破格の家賃の理由を尋ねると岩原は「赤井さんからいただく金額は固定資産税分にも足りない。『ただ』ではいけない値段」と苦笑しつつ「赤井さんにお貸ししてから若い人が大勢この旅館に出入りしてくれる。とても楽しい。スタッフが結婚した際にはこの広間でパーティーを開いた。ずっと赤井さんに貸すつもり」と笑顔で語った。

写真2　若者たちが集う元旅館「とめや」の歴史的な外観

4 「赤井バー」と樗谿グランドアパートも

　赤井はこのあと2件の物件を借りた。一つは「ことめや」から徒歩1分程度のところにある白い四角形の3階建てビル（通称・トウフビル）の3階（1室）を気に入った。比較的安価で借りてバーを営む。通称「赤井バー」（野田）である。筆者も案内してもらった。横に長い木製カウンターの席とテーブル席があり、落ち着いた雰囲気。カウンターの向こう側にはお酒の瓶がずらりと並んでいた。

　「赤井バー」に入室するには、トウフビル2階に入居したホステル内部を通らないと3階に上がれないので、隠れ家的な空間だ。赤井は「滞在制作や講演で鳥取を訪れたゲストを歓迎するために借りた。通常のお店だと混んでいて座れない場合がある。ここなら絶対に空いているうえに静かだから」と言った。

　もう一つは樗谿グランドアパートである。市中心街から車で5分程度にある、同市指定文化財の洋館だ。1930年に医院として建てられ、終戦直後の1946年に進駐軍の将校宿舎として改修・増築された。2階の1室を安価で借りて展覧会の会場などに活用する。半円形の窓が独特の雰囲気を醸し出す。無料で借りる旧横田医院を除いた3物件は、赤井率いる任意団体の口座から家賃を支出している。

写真3　「赤井バー」の内部風景（カウンター内は赤井あずみさん）

関係者の話を総合すると、鳥取市内で空き家をリノベーションする動きは旧横田医院のホスピテイル・プロジェクトに限らない。古いアパートや空き家が改装され、美容院、カフェ、ゲストハウス、コワーキングスペース（共同仕事場）などに生まれ変わって来た前例があった。赤井は「家具職人で工作社代表の本間公くんが盛んに手がけていた。本間くんのおかげで私もリノベーションできた」と振り返った。

　それにしても赤井はどんな思いで複数の空き家を借りてきたのか？「最初から目的があるわけではなく、空間を気にいってから『何に使えるか』を考える」のだという。まちづくりのために借りているわけではなく、「よく生きること」を実現したいと願ってきたそうだ。「美術のキュレーターであることを自覚し、『アートのために』と思って空き家のプロジェクトを続けてきた。アートを紹介することは人々の心を開いたり、視点を変えたりすること。すなわち『まちの寛容度を高める』ことにつながる。それが間接的にまちづくりにつながっていく」と赤井は語った。

　彼女自身、古里の鳥取に、県立博物館への就職時と同プロジェクトへの参加時の2度、Uターンを経験した。鳥取はどのように映っているのか？

　「空き家がたくさんあると『できること』が増える。たたずまい、構造、立地…。物件ごとに違うので、空き家が多いほど可能性が広がる。ぴったりの使い方を考えることができる。一人でスペースを占用するわけではなくパブリックな場として開いていくので、大家さんも理解して安く貸してくださる」と語った。

　赤井は次のように述べた。「空き家の多い鳥取には可能性が広がっている。まちに隙間や余白があるので個人で一戸建てやビルの1室を借りることができる。無理に負債を抱えなくても、実験的な取り組みができる。DIYで改装可能だし、自分たちの手で何とかなる。個人が節約すれば借りられる物件があるのは大切なこと。自己裁量の部分が大きいから。対してこれが東京などの大都市ならば、物件を借りるにも多額の費用がかかるので、個人では何とも手が出せない。大資本による再開発が中心になる」

鳥取市は合併して 19 万人になったが、旧市街地は 13 万人の小さな都市だ。赤井は「まちにとって人口規模は大切な要素。大きすぎると顔見知りもできにくい。人口は 13 万人の旧鳥取市なら自転車で走れるので、知り合いができやすい」と指摘した。空き家には可能性が秘められており、空き家の活用が個人単位で可能な鳥取が気に入っているという。赤井は最後に「県立博物館学芸員のお給料は安いので、私個人にたくさんのお金があるわけではない」と苦笑しながら付け加えた。

5 鳥取から浮かび上がってきたこと

鳥取県の空き家は 3 万 9400 戸（2018 年「住宅・土地統計調査」）で、空き家率 15.3％は全国 18 位の高さである。冒頭に触れた「その他の空き家」の割合も全国 11 位だ。このように空き家の多い鳥取県なのだが、近年移住者が右肩上がりで増えている実態は案外知られていない。

同県ふるさと人口政策課によると、同県への移住者は 2011 年度が年間 504 人だったのに対して、2016 年度は 2022 人、2017 年度は 2127 人、2018 年度は 2157 人である。表 1 のデータは、各市町村から県が報告を受けた数字で、移住相談窓口や転入時のアンケートなどで県外から実際に移り住んだことを確認している。「県内事業所の定期的な人事異動、あるいは県出身女性が一時的に出産で里帰りするなどのケースは対象外」（同課長補佐・秋山賢治）だそうだ。

興味深いのは 2018 年度の移住者のうち「30 代以下が全体の 68.5％」であることだ。U ターンに加えて I ターンの増加が目立つという。内訳は近畿から 31.9％、中国から 27.9％、関東から 18.6％ だった。移住先は鳥取市が 21.3％ を占めて最も多かった（2018 年度）。

同県は 2011 年度からの 4 年間で目標 2000 人を設定したところ 3 年目

表1 鳥取県への移住状況

年度	2011	2012	2013	2014	2015	2016	2017	2018
人数	504	706	962	1246	1952	2022	2127	2157

（鳥取県ふるさと人口政策課の資料をもとに松本茂章作成）

で突破した。2015年度から5年間の目標を8000人に増やしたが、こちらも4年でクリアした。2019年度以降の4年間の目標は1万人を掲げた。

　冒頭に述べたように、東京都民は鳥取県民の23倍である。鳥取県の年間2000人の移住者は、東京でいえば約5万人に相当する数字である。鳥取では一人の存在が重い。県人口全体では依然として減少傾向にある。高齢者が亡くなったり、進学・就職で大都市部に出て行ったりの社会減が続くからだ。しかし先に紹介した鳥取大学の野田邦弘は次のように語った。[注5]「地方へ移住してきた若者のなかには、こういった古民家をDIYで改修し自分好みの空間を作り、住む者も多い。またシェアハウスなどで最初から小さなコミュニティの一員として暮らし始めるケースも見受けられる。食生活では食料の自給や贈与、交換といった、貨幣を介さない流通の割合が高く、都市生活者に比べて食費にあまりお金をかけない生活が一般的である。（中略）ひとつの仕事に専念するのではなく、農業とデザイナー、家庭教師と店舗経営などマルチジョブスタイルが多く見受けられる」。野田は移住志向の若者に共通するのはシェアリングエコノミー志向であると断じ、「社会に存在する資源（空き部屋や空き自動車）の最適化が図られる」と述べたうえで「成長を前提とした資本主義が終わりを迎えつつある現在、（中略）新しい人間の生き方、価値とは何かが問われている。地方を志向する若者は直感的にそのことを理解して、田舎への移住を始めたのではないだろうか」と指摘した。

　行政が多額の補助金を支出して盛んに文化事業を展開すれば、瞬間風速的には「賑やか」になったように映る。しかし集客数が多ければ地域再生という政策目標が達成されたのか？　鳥取における空き家とアートの取り組みには、個人単位の試みの大切さ、所有者の理解、都市の規模のあり方、大学の役割などを考えるとき、多くの示唆に富んでいる。

注
1）総務省ホームページ。https://www.stat.go.jp/data/jyutaku/index.html（2019年7月15日閲覧）
2）日本都市センター編『都市自治体と空き家　−課題・対策・展望−』日本都市センター、

2015、117-119 頁。

3) HAPS については松本茂章「京都市東山区の『HAPS』」『公明』2017 年 6 月号を参考のこと。東山区の空き家対策に関しては六原まちづくり委員会『空き家の手帖　放っておかないための考え方・使い方』学芸出版社、2016、に詳しい。

4) 鳥取県立博物館の赤井いずみ、同県ふるさと人口政策課の秋山賢治、元旅館「とめや」の岩原秀和に対する聞き取り調査は 2019 年 7 月 9 日に行った。野田邦弘は東京で 7 月 6 日に話を聞いた。

5) 野田邦弘「地方へ向かう若者たち−田舎から新しい価値創造を−」『地方自治職員研修』2018 年 5 月号、12−15 頁。

1 アートプロジェクトでまちづくり

アートプロジェクトの潮流

　日本においてアートと地域の関係を考える場合、1990年代以降は「アートプロジェクト」抜きで語ることができない。美術史に元をたどれば、美術作品が美術館やギャラリー制度から抜け出す潮流は20世紀半ばのランドアート、野外展、パブリックアートなどに見ることができ、その先に、アートプロジェクトを位置づけることができる。初期には「美術」や「芸術」側からの働きかけの一つとして、社会性や公共性を回復させる手段の意味合いが強かった。しかし阪神・淡路大震災（1995年）を契機にボランティアやNPOなどの市民による社会的活動が活発化した流れに沿って、今日では「市民」や「社会」あるいは「ビジネス」や「企業」の側が、アートを通じて社会の課題に向き合うようになった。

　2000年から3年に1度開催されている「越後妻有アートトリエンナーレ　大地の芸術祭」は知る人も多いだろう。限界集落を多く抱える過疎の農村地域に、アーティストと、都心部に住むボランティア「こへび隊」が入り込み、地元の人たちと協働する中で、田んぼの中や空き家、集落の景色の中で作品を制作し、展示を展開する。建築作品は拠点となる文化施設として活用されるので、相当額の大型投資が行われた。全国的な広報を展開することで、海外からの誘客数も伸び、大きな経済波及効果を生み出している。大地の芸術祭のインパクトは大きく、続く形で瀬戸内国際芸術祭、別府現代芸術フェスティバル、奥能登国際芸術祭などの芸術祭があちこちで取り組まれている。これらはアートツーリズム型である。

　横浜トリエンナーレやあいちトリエンナーレのように、作品性やアー

ティスト性に重きを置き、アート作品を通じて社会的メッセージを発する「国際美術展」タイプもある。これらは展示やイベントの際、市民参加の手法を用いたり、美術館の外に出て、まちのスペースや空きビルを展示会場にしたり多彩なラーニングプログラムを展開する。市民が運営を支え様々な市民が創作プロセスに関わるなど、アートプロジェクトの性格を帯びたものも少なくない。

アートツーリズム型あるいは国際美術展型は規模も大きく、集客力や経済波及効果もあるので、メディアでよく取り上げられ、注目を浴びている。それゆえにアートプロジェクトとは、集客と経済波及効果を生むことが第一義であると勘違いされてしまっているのではないか。

アートプロジェクトの多様な主体

しかしアートプロジェクトは、規模も担い手も方法論も本当に多種多様である。100 あれば 100 通りのありようを示す。多様性を体現していた取り組みとしては、2002 年から 2016 年まで継続した「アサヒ・アート・フェスティバル（AAF）」を思い浮かべる。アサヒビールのメセナ事業として毎年夏に開催される各地のアートプロジェクトを支援するとともにネットワーク化していたことが特色だった。AAF の参加団体は、大地の芸術祭に比べると小規模のものが多かった反面、“ぴりりと小粒な”主体が展開するものが目をひいた。

「脱美術館化」の流れから始まったアートプロジェクトも、美術館自体が社会に開かれたあり方を求められる中で、美術館も取り組むようになった。水戸芸術館による「カフェ・イン・水戸」がパイオニア的な存在として挙げられる。あるいは、つなぎ美術館（熊本県津奈木町）は、町内の閉校した小学校跡を拠点に、見知らぬ誰かと水曜日の日常が書かれた手紙が交換される「赤崎水曜日郵便局」など、興味深い企画を展開している。

大学によるアートプロジェクトも各地で相次ぐ。東京藝術大学が茨城県取手市にキャンパスを設けたことを契機に長年続く「取手アートプロジェ

クト」や、東北芸術工科大学が行っている「みちのおくの芸術祭　山形ビエンナーレ」などはその1事例である。いずれも大学生だけでなく市民、ときには行政とも連携を果たし、地域の人々とまちを育てる活動として定着してきた。

文化芸術基本法とアートプロジェクト

　2017年に改正された文化芸術基本法では、文化芸術そのものの振興から一歩先に進んで、観光、まちづくり、国際交流、福祉、教育、産業等の関連分野においても文化芸術により生み出される価値や波及効果を活かしていく方針が示された。本法に準じて、各自治体においても、計画をつくるよう努力が求められているところであるが、この方針の実現には、まさに、「アートプロジェクト」が鍵を握っている、と筆者は思う。

　自治体の多くがこれまで行ってきた文化行政のあり方（文化施設の管理、市民文化団体の成果展等）では、多様な関連分野との連携を実現することは難しい。自治の中で抱える課題を念頭に、文化担当課以外の他課とも連携しつつ、地域の主体である多様な市民と協働しながら取り組むことが求められている。

　そこで本稿では、筆者が勤務している青森県八戸市を事例に、自治体が主体となって関わるアートプロジェクトのありようを紹介する。本題に入る前に筆者の立場に触れておきたい。筆者は東京藝術大学大学院を修了後、一般財団法人地域創造に勤務、2011年に八戸市に芸術環境創造専門員（嘱託職員）として雇用されて移住、2018年には正規職員（主事兼学芸員）として採用された。専門的にアートプロジェクトを担当する、全国の自治体のなかでもきわめて珍しい存在の専門職員ではないかと思う。八戸市のアートプロジェクトは外部のプロデューサーに頼らず、市職員が自ら企画を考案し、自ら運営するところに特色があることを申し添える。

2 八戸市の文化政策の転機とアートプロジェクトのはじまり

　八戸市は青森県南の太平洋側に位置する、人口約23万人（2019年12月現在）の地方都市である。春から夏にかけては「やませ」と呼ばれる冷たい海風が吹くために、稲作に向かない。藩政時代から地域で採れた砂鉄を売ることで生計を立ててきた。産業でこの地を発展させてきたのである。現在も、北東北随一の工業地帯と言われるのはこのような歴史が背景にある。

　北の産業都市・八戸市の文化政策は「八戸ポータルミュージアム はっち」^{注1)}によって、大きく変容した。中心市街地が賑わいを失っていくなか、打開策として、三社大祭の大型山車を展示する観光施設を建設する構想が進められたものの、2005年の市長選で市長が交代したことでストップした。代わりに「市民自らの手によって、八戸に存在する人、物、食、情報を活かし、広範囲に発信する文化交流の場」として、はっちが立ち上がったのだ。

　はっち整備をきっかけに、中心街に「文化の顔」「市民の活動の場」を育てていく行政戦略が進むこととなる。たとえば市が運営する本の拠点「八戸ブックセンター」^{注2)}（2016年12月）、「八戸まちなか広場 マチニワ」（2018年7月）が整備された。このことも影響し、中心市街地で活動をする人や働く人が増えるようになり、歩行者通行量の下降に歯止めがかかった。民間マンション開発は分譲されると完売に。道路路線価は25年ぶりに上昇した。

　もう一つの大きな変化は、文化芸術分野の担当部署を教育委員会から市長部局に移した市の機構改革である。2010年度に「まちづくり文化観光部」（現・まちづくり文化スポーツ部）が誕生。教育政策の一部ではなく、市の政策と位置付けた。文化芸術をまちづくりに活用する方向へ明確に舵を切ったわけである。市教委に置かれていた美術館も、2011年度から同部に所管替えされた。

　新生の文化担当部署「まちづくり文化推進室」では、アートプロジェク

トを用いた「アートのまちづくり」を全市的に展開することになった。一環として2010年度、東京藝術大学教授の熊倉純子をアドバイザーに迎え[注3]、八戸の文化政策を見直す検討を行った。市内の地域資源をリサーチし直し、何がアートプロジェクトの「種」になりそうかと検討した。市職員自らが企画アイディアを考案するうちに、2005年に合併した旧南郷村を舞台にした南郷アートプロジェクトとともに、工業都市八戸に着目して工場と協働する「工場×アート」のアートプロジェクト計画が持ち上がった。そして次なる課題は、「だれが企画を動かすのか」。現場を動き回り、アーティストと地域の人をつなぎ、巻き込みながら、企画を実施していく仕事を担当する専門人材が必要であるとの助言をもとに、市はポストを新設。嘱託職員「芸術環境創造専門員」を採用することにした。第1号として2011年4月に採用されたのが筆者である。名古屋生まれで東京に学び、東北に縁のなかった筆者は、新しい土地でプロジェクトを任されることに不安を持ちながらも、市職員が文化政策に前向きであり、地域資源を生かしたアートプロジェクトの立ち上げに関われることを楽しみに、八戸に赴任した。筆者が関わってきたアートプロジェクトは多数あるのだが、本稿では八戸工場大学の三つのアートイベントに絞って紹介してみたい。

3 工場×アート「八戸工場大学」

工場の元気は八戸の元気

先に述べたように八戸の臨海工場地帯は北東北最大である。5000トン級の貨物船が接岸でき、鉄鉱石をも運び込める。海に面した三角州や埋め立てた沿岸部などに三菱製紙、八戸製錬、東京製綱、穀物サイロコンビナート、大平洋金属、北日本造船などの工場が集積する。東日本大震災の際には、津波が工場を襲い、製品や機械、従業員の車などを波でさらっていった。操業停止を余儀なくされ、経済的な被害は多額に及んだ。

しかし各工場は1日も早い復旧に向けて全力で取り組んだ。操業再開のニュースや、工場の煙突から立ち上がり始める水蒸気の光景に、市民は

「八戸に日常が戻ってきた」と実感することになったのだ。多くの市民は復興した工場の姿を見てとても勇気づけられた。見慣れている工場が元気であること。それこそが「八戸の元気」なのだ、と筆者自身も痛感したのだった。

　実は、震災前から「工場 × アート」というテーマの検討が始まっていた。市職員自ら「工場をテーマにしたら面白そう」と意見を出していたこと、アドバイザーに就任したクリエイター菊地拓児が、廃炭鉱や廃墟などでアートプロジェクトを実施したり展示をしたりする経験を有していたこともあった。彼は、役目の終わった炭鉱に比べて「八戸の工場は現役であり、だからこそ、企業と地域、市民の関係を作り、一緒にプロジェクトをつくることができる」と発案した。工場とアートの組み合わせのプロジェクトは全国的にも例がなく、成功すれば話題が広がるのではないかと期待もしていた。

　しかし大震災直後の工場である。アートプロジェクトの実施どころではなかった。各工場の驚異的な努力が実を結び、復興の兆しが見えてきた2013 年になって、「工場 × アート」のトライアル企画として、なんとか工場見学ツアー＆トークカフェ（トークイベント）の実施に至った。

　結論から言うと、この企画は思った通りにはいかなかった。日ごろ入れない工場内部に入れると「工場見学」には応募が殺到。しかし前半の工場見学だけを楽しんで途中で帰る方が多く、筆者らが力を入れた後半のトークイベントまで付き合ってくれた参加者は少なかった。工場見学だけでは工場と市民との関係を深めることが難しく、市民運営のアートプロジェクトの実現は遠いと分かった。

　しかし、「失敗は成功のもと」である。最後まで参加した熱心な参加者は、工場だけでなく、アート、工場景観、観光など多岐にわたったトークに目を輝かせて聞き入ってくれた。「工場好きの市民」がキーマンだ、と気づかされた。こうした市民の方と一緒になってアートプロジェクトを実施することが不可欠だと確信した。そこで翌 2013 年に「八戸工場大学」を立

ち上げた。「工場×アート」をテーマにした継続的な市民活動の場である。

トークカフェに参加したメンバー有志から、工場大学の「学長」と「助手」を誘い、運営事務局を組織した。彼ら彼女らは活動のコアになってくれ、企画を一緒に考えて運営する現在のスタイルが確立した。毎年、受講生を募集して年間を通じた活動を繰り広げることで、新しい人材も参画してくれている。

八戸工場大学の「講義」「課外活動」「サークル活動」

八戸工場大学には三つの活動がある。大学になぞらえて「講義」「課外活動」「サークル活動（アートプロジェクト）」である。その中で、工場と連携した「サークル活動」が事業の肝であり、到達点である。しかし実現に向けては、工場との信頼関係を作ることが不可欠なのは言うまでもない。加えて、八戸には重厚長大タイプの大型工場が多く、安全確保の側面から、工場敷地内の見学にも工場側にかなりのハードルがある。そこでまずは何より関係づくりが大切と考え、工場の職員に、まちに出てきてもらい、市民側が工場を学び、工場との接点を作ることからスタートした。その過程で工場と行政や市民との信頼関係が醸成され、「八戸工場大学の活動であれば協力できる」という気持ちになっていただけないかと考えたのだ。それが「講義」で、講師には、工場幹部のほか、産業遺産を生かした活動を展開するNPO法人職員、工場景観の研究者、工業都市の歴史に詳しい産業振興部署の職員などを迎えた。またアーティストや文化人も招き、例えば短歌の名人を講師に「工場短歌」を作ったり、マスキングテープで工場の配管を描くアートワークショップを行ったりした。

「講義」は、アドバイザーである菊地拓児や筆者が考案したものもあれば、事務局メンバーの市民が「ツイッターでこういうアーティストを知ったのだけど、八戸に呼べないか」というアイディアから実現したものもある。

工場大学の1、2年目は、工場に企画を持ちかけても反応が芳しくなかった。工場にとって「アート」はこれまであまりにも無縁だった。工場が解

決したい課題や困っていること、アピールしたいことを聞いて合致させないと興味も持ってもらえない。しかし最近は「八戸工場大学」の名前が知られ、工場も見学会実施に協力してくれたり、「取引先の工場もおもしろいよ」と情報提供をしてくれたりするようになった。企業との関係構築が進んできた。

4 三つの異色の工場アートプロジェクト

工場と協働できたアートプロジェクトのうち、思い出に残る三つの取り組みを紹介したい。時系列で取り上げる。

「－162℃の炎を見よう」
（2015年1月／JX日鉱日石エルエヌジー・サービス株式会社（現・JXエルエヌジーサービス以下、JX））

当初は工場側の反応が良くなかったことは先に触れたが、2014年夏に朗報が飛び込んできた。市上層部から「2015年春に東北初の液化天然ガス（LNG）のターミナルが稼働開始する。初めてのLNG船が接岸してLNGを充填させたあとの試運転時には、大きな炎が出るらしい。何かしてみたら」との情報が寄せられたのだ。

LNGを収容する大型タンク建設中のターミナル内にあるJXを訪れ、当ターミナル立ち上げの中心人物、業務部業務課長の中村治（当時。現JXTGエネルギー株式会社に復職）らに話を持ちかけた。幸い、中村は工場大学の受講生であり、工場大学の趣旨や想いも理解し、話をつないでくれた。実はJX側としても、この「大きな炎」は、市民に正しく理解してもらわねばならない「やっかいもの」であった。というのも、LNGターミナルや石油基地などでは、余剰ガスの処理のために、煙突の先からオレンジの炎（フレアスタック）を出している。しかしそれを見た住民が「火事だ」「爆発するのではないか」と思い、苦情の火種になる。通常は、その安全性の広報や市民理解に、費用や相当の労力を割くそうだ。

そこで稼働開始時にプロジェクトを企画した。液化天然ガスは「－162

度」で気化するが、ガスの圧力調整や余剰分が生じた際に「フレアスタック」と呼ばれる炎となって空に舞い上がる。稼動前の試運転時には、とりわけ大きな炎になると聞き、その炎を「－162℃の炎」と命名し、炎を愛でるプロジェクトを行った。

　実施したのは厳寒期の2015年1月8日から12日まで。工場間近に隣接する八戸港貿易センタービル（4階建て）屋上に「タンク庭園」を設け、ここから炎を見てもらうことにした。木造や硬い紙の筒を用いて、こたつや顔出しパネル、万華鏡シートなど炎を様々に見るしかけを用意した。同ビル3階には臨時カフェを設けて温かいコーヒーや地元菓子店に依頼してつくったタンク形状のケーキも販売した。JX社員も常駐して炎について解説したり、トークイベント等を行ったりした。

　昼の炎、闇のなかの炎を見てもらおうと、午前10時から午後7時まで会場を開いた。すると合わせて約1000人の来場者があった。このプロジェクトは新聞やテレビ等でも報道され、炎に対する理解が市民に深まり、新しい誘致企業が「八戸市民企業」になるための潤滑油役を果たせたと実感している。JXの中村は「他都市では苦情になるが八戸ではほぼなかった。『次はいつ炎が出ますか』という問い合わせに驚いた」と笑顔で話してくれた。

写真1　LNGターミナルから出る「-162度の炎」をガスタンクを模した
　　　　作品から鑑賞する様子

「虹色の狼煙」（2017年1月／大平洋金属株式会社）

　大平洋金属はステンレス鋼の原料であるフェロニッケルを製錬している工場だ。製錬する過程で副産物として生成される「スラグ」が、熱せられた溶岩状で排出されるため、煙突やスラグから出る水蒸気に反射して、夜には工場の上空が一面オレンジ色に染まる。遠方からもよく見えるこの「オレンジの空」は、多くの市民が日常的に目にしている。工場夜景撮影の人気スポットとして八戸工場大学の受講生も関心を持っていたので、JXの次は大平洋金属と何か協働できればと願っていた。

　執行役員総務部長の内藤正彦と総務部次長の佐川宜永に相談すると、最初は安全面等から懐疑的だったが、次第に理解していただき、最後は全面的な協力をいただいた。工場大学も同工場も、工場から出る煙の正体が水蒸気であることがあまり知られていない状況を変えたいと思っていたこと、同時に「働く社員の家族にも工場の様子を知ってもらう機会をつくりたい」という内藤の思いもあり、連携が叶うこととなった。

　「虹色の狼煙」と題したプロジェクトは高い煙突から出る水蒸気を「白い息」に見立て、その水蒸気をライトアップするもの。水蒸気に赤、黄、緑、ピンクなど7色の光を当てた。来場者は、対岸120m先の公園から工場の風景を鑑賞。操業60周年の工場を「60歳の工場おじさん」に擬人化し、その工場が自らの生い立ち（歴史）を語る趣向で、公園にはスピーカーを

写真2　「虹色の狼煙」工場の建物に文字を投影し、炎に光を照らした

仮設して地元演劇人が吹き込んだ朗読を流し、工場壁面に字幕を映し出した。

　工場には全面協力していただき、特別の許可を得て工場内に投光器の設置を認めていただいた。さらには、煙突から出る水蒸気が、イベントの時間に一番多くなるように、従業員が操業の調整までしてくれた（工場内の現場にも、不思議な一体感が生まれたらしい）。極寒の空にもくもくと美しい水蒸気が立ち上った。

　イベントは、1月14日の午後5時から午後8時まで。最低気温が零下8度まで下がった寒い夜だったが、1夜に500人がやって来た。

　現在、多くの工場は相当な環境配慮をしているものの、そのアピールや周知は難しい側面もある。内藤は「市民のみなさんにもよろこんでもらえて幸いだった。工場が八戸の中で大事な存在だということを、地域の方にも、働く社員の家族にも知ってもらういい機会になった」、佐川は「社員として働いている自分の工場を外からじっくり見ることはなかった。ライトアップは美しく幻想的だった。自分たちの工場の価値を見直した」と述懐していたのが印象的だった。その後、同社では、このイベントのことを投資家や株主向けの冊子に載せ、企業価値を誇る出来事として説明しているという。

「さよなら、ぼくらの大煙突」（2018年8月／東北電力株式会社八戸火力発電所）

　JX、大平洋金属とのプロジェクトが成功したおかげで、他の工場にもアートへの理解が広がった。次は大平洋金属の隣にある東北電力八戸火力発電所から「自分たちも工場大学と一緒に何かやってみたい」との相談が寄せられた。発案した技術グループ副長の大庭賀夫も、工場大学の受講生であり、市民とともに大平洋金属のイベントに自ら参加して刺激を受けていた。その後、異動になった大庭の後を引き継ぎ、渡辺恒夫総務課長、大竹伸明企画課長も、イベントの成功に向け奔走してくれた。

　今回の舞台は発電所内にそびえ立つ、解体間近の120mの大煙突である。

写真3　解体前の大煙突を間近に見る参加者たち。発電所敷地内に一般の
　　　　人が入場できるのは稀なことである。

煙突は市内で最も高い構造物で、写真撮影の対象になったり、沖から帰っ
てくる船のシンボルマークだったりした。しかし老朽化で取り壊されるこ
とが決まり、最後の雄姿を市民の脳裏に焼きつけようと企画した。

　2日間に渡って午後7時から午後8時半まで、赤白の大煙突に発電所所
員自らが照射する白い光と、青に瞬く映像を当てた。大煙突に光をプレゼ
ントするという意味で、投光器の電力は参加者が交代で自転車を漕ぎ、人
力で発電した。「発電の運転員になろう」とイベント参加を呼びかけたと
ころ、発電所敷地内には300人の市民が入場して、煙突のある風景を記
憶にとどめた。このプロジェクトの1週間後、煙突は取り壊しが始まった。

　渡辺は「工場で働く者にとって、これほど市民が大煙突に思い入れをお
持ちだとは思わなかった。これだけ大勢の市民が駆けつけてくださるとは
…。大煙突がなくなることに『寂しい』『残念だ』と言われる存在だった
ことに驚いた。地域のなかに発電所、工場が存在している。ふだんは地域
の方々と直接触れ合う機会がないので、今回は社員の意識改革にも役立っ
た」と語った。

5 八戸に生きる誇りをつくる体制とこれからの展望

専門職の登用と行政職員との二人三脚体制

　八戸市がアートプロジェクトを実施する際の特徴は、専門職員と一般行政職員の二人三脚体制である。行政がアートプロジェクトや芸術祭を実施する場合、補助金や助成金等での支援や会場の提供等が主なもので、企画を考えるブレーンあるいは運営は外部ディレクターや外注スタッフに任せっきりの場合も少なくない。行政は進行や税金執行を監督するわけである。対して八戸市では、外部のアート専門家にアドバイザーを依頼するものの、あくまでも一般行政職員と専門職員が企画を詰める。時には市民、市内文化施設と協働する。現場を経験しながら自らの頭と手で次の手を考えていく。筆者のようなコーディネート専門職員を内部に登用することで、内発的創造の基盤をつくってきた。

　アートプロジェクトは、プロセスに多様な人が関わり、変化を生みながら、作品や成果を結実させていくので、予定調和には進まない。アートは行政システムとは相性が悪い。アートの専門職員がいくら良いアイディアや方法を思いついたとしても、一緒になって面白がる一般行政職員がいないと孤立する。同時に一般行政職員がいないと、市全体の政策の中に位置づけることが難しい。

　八戸市の場合に幸いなのは、直営の文化施設やアートを扱う部署が多数あり、アート事業を経験する職員の数も多い。文化関連部署内で異動も多々あるため、一般行政職員のアート経験も長期的に他の部署で生きる。

　文化事業の予算獲得のためには財政部署にも理解が必要だ。また、こども政策や福祉分野からも文化芸術が活用できると思ってもらわないといけない。この点では人事異動が行われ、アートを経験した職員が八戸市のあらゆる分野に異動して文化芸術の根を張っていくことは「急がば回れ」である。

　とはいえ、短期間での人事異動はノウハウ蓄積やネットワーク構築、継

続的な運営の面で悩ましい。このことは全国各地のアートの現場でよく聞くことである。だからこそ異動のない専門職員や比較的長期に関わる学芸員のようなエキスパートが存在することで、補完できる。一般行政職員と専門職員の二人三脚体制の有効性がそこにある。

まちづくりとしてのアートプロジェクトの可能性

　八戸市で取り組んできたアートプロジェクトは、経済や観光のためではなく、市民生活の根底を豊かにするためのまちづくり政策である。幸いにして、同市には文化芸術事業を実施できる財政基盤や、文化芸術をまちづくりの力にすることをぶれずに続けた市上層部のリーダーシップ、議会の理解などに恵まれた。自分たちの手とアイディアでアートプロジェクトを作る現場に勤務してみて、手応えと面白みを直に味わい、蓄積していくことが次の展開への欲と希望を生み出すと分かった。これが継続につながっている。

　大都市と違い、地方都市は人材も資源も環境も選択肢が揃っている状況ではない。それを求めても勝ち目はない。この地域でこそ可能なアートプロジェクトは何であり、どういう文化政策を展開するべきなのかを真摯に考えたい。八戸では、市民の顔を見て立ち上げるような、属人的で、現場主義的な文化政策のあり方が功を奏したように思える。行政内部で「推進計画」や「文化芸術条例」を策定し、遂行と振興管理に躍起になる机上論的な文化行政とは異なる。

　八戸市は2021年度の開館に向けて、新美術館の建設を準備している。中心街に集積する文化施設や文化事業の整理整頓が必要となり、文化振興計画をまとめるところである。アートを結節点に、あらゆるジャンルのまちづくりや人々の暮らしにインパクトを生み出すことができるよう、次の一手を生み出す仕事に取りかかっている。

　筆者らが取り組んできたのは、住んでいると当たり前になりがちな地域資源にアートの視点で光を当て直し、様々な出会いと協働を生むことを通じて、シビックプライドを醸成していくこと。これからの地域は、訪日外

国人観光（インバウンド）やオリンピックを背景に、観光集客数を増やすことに踊らされるのではなく、ここで暮らすことの面白さを住む自分たちが感じられるような、住民満足度・幸福度を高めていくことこそ、重要ではないか。地域の未来の文化生態系を作っていくための長期戦である。

注
1）「八戸ポータルミュージアム はっち」は、八戸市中心街に位置し、シアターやギャラリー、観光物産展示、食やものづくりのスタジオ（店）、子育て支援のスペースを有し、会所場づくり、貸館事業、自主事業を三つの柱に事業展開する公共施設。「地域の資源を大事に想いながら、新しい魅力を創りだす」というミッションを体現する自主事業の実施で、はっちを特徴づけている。アートアドバイザーを吉川由美が務める。
2）八戸に「木好き」を増やし、八戸を「本のまち」にするための、あたらしい「本のある暮らしの拠点」。選書は市内の書店と棲み分け、海外文学や人文・社会科学、自然科学、芸術などの分野を中心に専門家でなくても手に取りやすい内容の本を主として幅広くセレクト。館内には、読書会ルームやギャラリー、カンヅメブース（本を書くことに専念できる部屋）もある。アドバイザーはブックコーディネーターの内沼晋太郎。
3）一般財団法人地域創造がモデル的に実施した地域文化コーディネーター事業を活用。

第6章

教育

6-1
廃校をアートの現場に変える

松本茂章

1 廃校をめぐる概況

　少子高齢化などに伴い地域の人口が減少して空洞化が進んでいる。この状況を象徴的に表すのが学校の廃校や休校であろう。地域のシンボルだった学校に児童や生徒の姿が見えなくなり、にぎわいの風景が消える。このため、元校舎を活用することで地域や住民を元気づけようとする取り組みが各地で繰り広げられている。本節では廃校や休校になった元学校校舎を文化や芸術に活用する取り組みを紹介する。

　国立社会保障・人口問題研究所の推計（2017年）によると、[注1]日本の人口は急減する。2015年の1億2709万人が半世紀後の2065年には8808万人に減るとされる。なかでも0～14歳人口は2015年の1595万人が半世紀後の2065年には898万人になると予測される（中位仮定）。このことからも学校の廃校・休校はこれからも続くとみられる。

　文部科学省の「平成30年度　廃校施設等活用状況実態調査」[注2]（2018年5月1日現在）によると、全国の公立小中高校のうち2016年度に406校が、2017年度に358校が廃校となった。2002年度から2017年度までで合わせて7583校の廃校が生まれた。施設が現存する廃校は6580校（86.8％）で、活用されているのは4905校（74.5％）だった。都道府県でみると、廃校数が最も多いのは北海道の760校、次いで東京都の303校、熊本県の284校、岩手県の277校、広島県の254校だった。最も少ないのは滋賀県の34校だった。

同期間の廃校の活用状況をみると（複数回答）、校舎と屋内運動場を合わせて、学校（大学を除く）が 3473 件で最も多く、次いで社会体育施設1581 件、社会教育施設・文化施設 1194 件だった。うち社会教育施設は912 件で、文化施設は 282 件にとどまった。福祉施設・医療施設は 705 件。企業等の施設・創業支援施設は 783。このほか庁舎等 417 件、体験交流施設等 477 件、備蓄倉庫 177 件、大学 76 件、住宅 22 件だった。

　一方、活用の用途が決まっていない廃校数は 2002 ～ 2017 年度で 1295件あった。校舎（1903 校）の理由を聞くと、複数回答で「建物が老朽化している」が最も多く 920 件（48.3%）、「地域からの要望がない」838 件（44.0%）。「立地条件が悪い」359 件（18.9%）などだった。

　活用に向けた検討に関わっている者としては、校舎（6264 校）の場合、複数回答で、「教育委員会」3785 件（60.4%）が最も多く、「自治体の財産管理担当部署」2254 件（36.0%）、「自治体の企画・経営担当部署」が1976 件（31.5%）など。「地域住民」は 1208 件（19.3%）にとどまっていた。

　利用の進まない廃校に対して、会計検査院が乗り出した。同院ホームページによると、2010 年 9 月、「廃校又は休校となっている公立小中学校の校舎等について、活用効果等を周知するなどして、社会情勢の変化、地域の実情等に応じた一層の有効活用を図るよう改善の処置を要望したもの」と題して次の「国会及び内閣に対する報告」を出した。注3)

　同報告によると、同院は廃校 2446 校及び休校 441 校のうち、国庫補助金を原資として整備され、耐用年数が残存するなどの 1333 校（廃校 1139校、休校 194 校。2009 年 5 月 1 日現在）を検査した。この結果、20 年以上の残存耐用期間があるところが 917 校、10 年以上 20 年未満が 524 校あったという。廃校等施設の残存価額等は 1333 校合わせて 2138 億 1871万円であること、国庫補助金相当額は 865 億 8800 万円であること、などを明らかにした。3 年以上未利用になっている 216 校について、残存価額は 249 億 2400 万円余り、国庫補助金相当額は 104 億 7400 万円余りだったという。

会計検査院は文部科学大臣にあて「公立小中学校の校舎等は、多額の国庫補助金を投入して整備された施設であるとともに、地域住民にとって身近な公共施設であることから、廃校又は休校となった場合には、住民の共通の財産として可能な限り積極的に有効活用されることが求められている」として改善の処置を要求した。そして「社会情勢の変化等に伴い、介護老人福祉施設、保育所等の社会福祉施設の必要性が高まっている一方で、現在の国や地方の財政状況にかんがみれば、多額の財源を投入して新たな施設を整備することには限界があることから、既存の施設を有効に活用することがより一層重要となっている」と指摘した。改善の処置として3点を求めた。①休校施設の活用状況を調査し、把握すること、②地域住民の意向を聴取するなどの体制整備についての指導を十分に行うとともに、活用効果等についての周知を十分に行うこと、③廃校等施設を有効活用するための財政支援制度を利用することに関して各省庁との連携、意見交換を十分に行うこと、などである。

2 各地のユニークな取り組み

　筆者はこれまでの調査活動を通じて、体験的に、廃校には次の四つの役割が期待されると考える。一つには地域のだれもが立ち入ることができ、開放された場であることが望ましい。地域の人々が出会い、会話を楽しむところでありたい。「横糸」の役割である。二つには、地域の人々が地域の価値を再確認でき、「このまちに生まれてよかった」との気持ち、すなわち地域の誇りを共有できる機能を持ちたい。三つには校区の歴史あるいは郷土の伝統を伝える、「縦糸」の役割を果たしてもらいたい。四つには元学校だっただけに、地域の文化水準を高め、文化的な人材が育っていく育みの場であってほしい。

　筆者の知る限り、学校の元校舎をアートセンターに再生させた最初の事例は、京都市が設置した京都芸術センター（中京区）である。

　京都芸術センターは京都市中心部の四条烏丸近くに位置し、2000年4

月に開設された。前身は 1869 年に開校して 1993 年に閉校した伝統校・京都市立明倫小学校である。同市は 9 億 8500 万円を投じて改装した。室町通りに面してクリーム色の南欧風建物が目を引く。敷地 4387m² に鉄筋コンクリート造り 3 棟が並ぶ。教室を再利用した制作室 12 室のほか、南北の美術ギャラリー、フリースペース、講堂、大広間、茶室、図書室、カフェ、ボランティアルームを設けた。公益財団法人・京都市芸術文化協会が指定管理者に選定されて管理運営する。

新進・若手の芸術家への支援に施設の目的を絞った。設置条例の第 2 条で「芸術作品の制作、舞台芸術の練習等を行うための施設の提供」と述べ、明確に創造拠点であると宣言。第 6 条では「活動の成果を公表しようとする新進又は若手の芸術家」と明記した。評価の定まっている大家の芸術やアマチュアのお稽古事には使えないという強い意志を条例に込めた。条例には貸し館の規定がない。すなわち無料で使える。しかし申し込みの先着順や抽選制の「よくある文化会館」ではなく、将来性があるかなどで使用者が選考される。通常の「貸し館中心」ではない。

文化担当専門職員を雇用した点も特筆される。アートコーディネーターという肩書で 3 年任期。「卒業」後は、せんだいメディアテーク（仙台市）、YCAM（山口市）など各地の文化施設に採用されて活躍している。

まちづくりに対する〈京都芸術センター効果〉がみられた。銀行支店が集まるビジネス街だった四条烏丸界隈は同センター開館後、おしゃれなレストランやブティック、映画館、美術画廊などが新たに集積して文化ゾーンになったからだ。若者たちが集まるまちになった。

2006 年には京都市立龍池小学校校舎を活用した京都国際マンガミュージアムが開館した。京都市と京都精華大学の共同事業で、大量の漫画蔵書を収める収蔵庫に加えて、展示室、映像ホール、図書館、カフェ、ショップ、研究室などを備える。総延長 200m の書架が設置され、漫画が並べられ、大人も子どもも熱心に読みふけっている。講堂は 1928 年に、本館は 1929 年に、北館は 1937 年に建築された。丸窓、クリーム色の外壁な

ど昭和モダニズムの雰囲気を漂わせている。

　東京でも、にしすがも創造舎は2004年に誕生した民間アーツセンターで、旧区立朝日中学校を活かした。「アートネットワーク・ジャパン（ANJ）」と「芸術家と子どもたち」という二つのNPO法人が同区から無償で借りて2016年まで運営していた。2005年4月オープンの「芸能花伝舎」は新宿区立淀橋第三小学校を活用して設けられた文化施設だ。日本芸能実演家団体協議会（芸団協）が同区と賃貸契約を結んで運営する。2010年3月には、中央区立錬成中学校の校舎を活用した「アーツ千代田3331」がオープンした。合同会社が家賃を区に支払って運営する。

　山陰の事例では2006年に開設された「鳥の劇場」を挙げたい。鳥取市鹿野町の市立鹿野小学校と幼稚園の元建物で、劇団「鳥の劇場」（中島諒人主宰）が無償で借りて運営する。「劇場は自分の家」と考える中島にとって、演劇は「芸術家のプライベート空間に来て、楽しんでもらうもの」なのだという。

　いずれもユニークな取り組みで、各自に物語がある。語り始めたら本節では収まり切らない。そこで本節では、事例紹介の中心に東京都立川市の「たちかわ創造舎」を取り上げる。なぜならアートNPO法人が自ら稼いで運営を続けている興味深い事例であるからだ。

3 立川市立「たちかわ創造舎」の取り組み
－撮影・演劇・自転車の支援拠点として－

富士山の見える小学校校舎

　一級河川・多摩川が東京湾に注ぐ河口から43km上流。同川土手沿いに東京都立川市の市立多摩川小学校が設置されていた。少子化で2004年に廃校となったあと、校舎を活用した「たちかわ創造舎」が2015年9月27日に開館した。2017年2月に訪れたときには、校舎や校庭から白い雪をかぶった富士山の姿が見通せた。「プロフェッショナルが集まる文化創造の活動拠点」として四つの事業を展開している。インキュベーションセ

写真1　多摩川小学校だった、たちかわ創造舎の正門

ンター（劇団の稽古場やシェアオフィス等）、フィルムコミッション（映画や TV ドラマの撮影場所提供、映像製作ワークショップ開催等）、サイクルステーション（自転車に乗る人たちの立ち寄り、休憩スペース等）、そしてコミュニティ・デザイン事業である。

　市地域文化課の担当者によると、市立小中学校 30 校のうち第 1 号の廃止事例だったため、市側は跡地利用を真摯に検討した。校舎の一部を使った暫定利用として子育て広場などを開設。その後、庁内公募した若手職員の検討委員会（30 人）がアイディアを出し合った。「映画やテレビドラマの撮影場所に使えないか」「多摩川河川敷を走る自転車の休憩場所に」などの妙案が浮上したのはこのとき。教育目的の行政財産から何にでも使える普通財産に転用した。暫定利用の年間費用が 1300 万円に達しており、市は「これ以下」の額で活用したいと願った。担当職員は筆者が訪れた際、「一定の収入をあげつつ、意義のあるスペースにしたかった」と話していた。学校を廃止して教育目的以外に使うと国の補助金の返還を求められる場合がある。「転用時、償還まで 10 年残っていたが、地域のために活用するなら返還しなくていい制度を活用して 1000 万円程度を免除してもらえた」という。

アート系 NPO 法人の登場とロケ誘致

　運営団体の公募に2団体が競った結果、NPO法人アートネットワーク・ジャパン（ANJ、当時は蓮池奈緒子理事長、2017年4月から米原晶子理事長）が選ばれた。ANJは市と校舎を無償で借りる契約を交わした。市の担当職員は「ANJはかなり好印象だった。190点対60点という大差がついた」と話した。なぜなら ANJ の提案は市からの支援額を年間600万円にとどめ、市の希望額を相当下回っていたからだ。2004年から豊島区立の元中学校でアーツセンター・にしすがも創造舎を運営した経験があり、学校ロケの需要が多いと当初から見通していた。3億1180万円を投じた改装工事（2ヶ年度）に取りかかる前、ANJは市に要望した。

　たちかわ創造舎のチーフマネージャー陽茂弥（1976年生まれ）は「耐震構造のための補強材は校庭側に取り付けず、校舎裏側にしていただいた」と打ち明ける。校庭から撮影する場合、補強材が映ってしまうと時代設定が限られるからだ。撮影隊の朝は早いので午前7時からの機材運び込みも認めてもらった。

　撮影場所として2階と4階の教室計5室に加えて校長室、職員室、音楽室、体育館、校庭、屋上も提供した。料金を設定しており、2階（1フロア）占有利用は1時間5万円。全日（午前9時〜午後9時）は15万円。同4階の場合は1時間3万円、全日10万円。そして屋上・外観は1時間3万円。体育館は1時間3万円と決めた。陽は「利用が入ると1日20〜30万円を落としてくれるので本当にありがたい」と語った。

　ANJ の資料によると、2016年度の収入は総額4600万円。このうち撮影による収入が3240万円（全体の70.4％）。施設管理（撮影を除く施設貸出・自販機・駐車場・備品貸出と立川市からの補助金等）が1300万円。事業は60万円だった。2017年度の収入は総額4730万円。撮影は3370万円（全体の76.1％）で、施設管理が1315万円、事業が45万円だった。2018年度の収入は4300万円。このうち撮影が2900万円（67.4％）で、施設管理1140万円、事業260万円だった。一覧表にすると表1の通り。

撮影収入には限界がある。進行上、複数の撮影を同時に行い難いからで、年間3000万円前後で推移しているので、右肩上がりというわけにいかない。となると事業収入等の伸びが求められる。2018年度には多摩地区の自治体や公共団体からの公演委託事業が増えてきた。たとえば武蔵野市にある吉祥寺シアターを会場にした公益財団法人武蔵野文化事業団の吉祥寺ファミリーシアターが同創造舎に公演を委託したほか、国立市、立川市の自治体文化財団からの仕事を引き受けている。ANJとしては今後、事業での増収を図りたいと考えている。

　ロケの申し込みは順調な様子である。2018年に公開された日本映画『リバーズ・エッジ』（二階堂ふみ・吉沢亮主演）などの撮影が行われた。映

写真2　校庭から見る、たちかわ創造舎の元校舎

写真3　たちかわ創造舎の元教室は撮影用に使われている。
　　　　黒板などは学校当時のままだ

表1　たちかわ創造舎の年間収入内訳（単位：万円）

	2016	2017	2018	内容
施設管理	1300	1315	1140	市補助金、自販機、駐車場 （撮影を除く施設貸出）
事　業	60	45	260	行政からの公演委託費等
撮　影	3240	3370	2900	映画・TV ドラマ等の撮影使用料
総　額	4600	4730	4300	

（NPO 法人アートネットワーク・ジャパンの資料をもとに松本茂章作成）

画やテレビドラマの撮影に加えて、音楽ビデオ、再現ドラマの撮影も行われている。筆者が 2017 年に訪れた際、正門に大阪の学校名が掲げられ、自転車で下校する場面が撮影されていた。

　ANJ 職員が撮影担当者に同創造舎の利点を聞いてみたところ、「撮影に使える部屋が多く、敷地内に駐車場もあるので、便利」「エレベーターもあって機材の搬入・搬出がしやすい」「無理なことをお願いしても快く対応してくれるので、とても助かる」などの声が挙がった。「たちかわ創造舎は二次利用されているから、現役の小学校の雰囲気も残っていて、とても使いやすい。何より、周りの協力体制を含め、撮影に慣れているところが助かる」との回答を得たという。

　同創造舎の正式職員は 5 人。撮影事業部、広報、総務、事業担当を置く。事務局長格の陽茂弥は渋谷区笹塚生まれ。大手広告代理店に勤めていた父はテレビの CM 製作や映画製作にかかわっていた。10 代から演劇活動を始め、文化服装学園を中退して舞踏の道に入った。米国、カナダ、欧州を巡る海外ツアーに出た。フリーで活動中、にしすがも創造舎で施設管理のアルバイトを始め、運営する ANJ 職員に採用された。撮影事業部の山縣昌雄（1980 年生まれ）は高校時代から映画監督を目指した。東京国際大学を卒業後、劇団「ク・ナウカ」（宮城聰主宰）に入団。劇団の倉庫や稽古場が同創造舎に置かれていた関係で ANJ の活動を知り、職員採用された。「ここで仕事をしながら自分の映画を撮っている」と話していた。

演劇の「揺りかご」

　撮影事業部で稼ぐ半面、演劇や自転車の部門はそれほどの収入を期待できず、地域貢献の事業に徹する。チーフディレクターの倉迫康史（1969年生まれ）は宮崎市生まれ。早稲田大学進学後は外交官を目指したが、4年生のとき鴻上尚史の演劇作品を見て衝撃を受けた。卒業後、俳優養成所に入り、仲間と劇団を立ち上げた。倉迫も映像に関係がある。父が地元放送局に勤務していた。早大ではテレビ放送研究会に所属し TV 業界でアルバイト。卒業後は演劇活動をしながらテレビ等の放送作家で生計を立てた。現在は劇団「Theatre Ort」を主宰し、たちかわ創造舎を拠点にする。同創造舎の演劇事業を請負って企画制作している。特に力を入れているのが「ほうかごシアター」である。隣接の別校舎を使って毎月 1 回、平日夕方の 30 分間、児童文学を原作にした作品を上演。30 〜 50 人が楽しむ。大人 400 円、子ども 200 円。大人が 1000 円の「あしながチケット」を購入すると子ども 6 枚分のチケットを寄付することになり、子どもたちが無料鑑賞できる。

　子どもから大人まで気軽に楽しめる演劇を上演する「ほうかごシアター」は地道に活動を継続している。2018 年 2 月以降、「泣いた赤鬼」（2018 年 2 月）、「春休み絵本スペシャル」（3 月）、「おやゆび姫」（4 月）、「走れ！メロス！」（5 月）、「ハーメルンの笛吹き男」（6 月）、「ヴェニスの商人」（7月）、「星の王子様」（8 月）、「ドリトル先生、アフリカへゆく」（9 月）、「ブレーメンの音楽隊」（10 月）、「アラジンと魔法のランプ」（2019 年 1 月）などを上演してきた。

　髭姿の倉迫は「緑の多い多摩が気に入っている。隣の日野市に自宅があり、多摩川土手を自転車で走って通勤している」と話した。そして「多摩の 30 市町村合わせて人口 300 万人。23 区の演劇文化とは別の可能性が多摩にある」と指摘した。

地元に愛されるために

　同創造舎では、地域の人たちに溶け込むための努力を重ねてきた。その一つが自転車愛好者に対するサービスである。同創造舎のそばを流れる多摩川の土手道や河川敷には、毎日数多くのサイクリストが駆け抜ける。土手からスロープで同創造舎に入れるので、校舎内にはカラフルなサイクルスーツ姿の人たちが大勢行き交う。1階には自転車メンテナンス可能な部屋を設置。開館後にシャワー室（1回100円）を増設した。

　二つには子ども向けの取り組みである。1階の元保健室はカフェになっており、午後10時まで開放されている。近所の小学生らが宿題をするためにやって来て走り回っている。ときには同創造舎職員と地元の小学生との間で軟式野球試合が行われる。試合後、女子職員らが豚汁をつくり、子どもたちに振る舞う。6番サードで出場する陽らが子どもたちを連れて館内を案内し、撮影されたドラマの解説をする。

　地元の自治会は少子化に伴い、子ども会が解散してしまい、子どもの居場所がなくなりつつあるそうだ。同創造舎では2020年度から団地の集会所などにアーティストが定期的に出向くワークショップを始める予定だ。

　三つには文化事業の「団地アートフェス」である。近くにある富士見町団地管理組合から、団地の建物の塗り替えの色を決める住民投票を兼ねたお祭りの企画を依頼された。同創造舎にシェアオフィスを構える演劇人・ダンサー・イラストレーターによって、パフォーマンスやワークショップ、スタンプラリーが行われた。

　四つには高齢者への対応である。高齢化は喫緊の地域課題で、シニア世代による豊かな技術や社会経験を活かしたいと考えており、定年退職した地域の高齢者を講師に招き、アーティストを対象に確定申告の講座や溶接体験の講習を開催した。また、同創造舎の施設や備品を修繕する場合には、専門業者に注文する前に、地域の熟年層に相談して修繕を依頼する。陽によると、校庭のサッカーゴールが腐食して危険だったことがあったが、若いころ溶接工と板金塗装の仕事をしていた高齢者二人に補強溶接の仕事を

引き受けてもらった。地域人材の活用で同創造舎側も経費削減できた。

このような地域連携を重ねることで、2017年度の利用者数は4万117人に達する。稼働率は58.07%だった。このうち撮影236件に9028人が訪れた。

立川市は人口18万人。JR中央線特別快速に乗車すれば新宿から30分弱。南武線とモノレールも集まる。国の出先機関も移転して多摩の中心となってきた。かつては「米軍基地のまち」だったが、人口が増えて住宅都市に。その分、同じ中央線沿いの吉祥寺と違って印象の薄さが悩みだ。同創造舎が立ち上がり、数多くのドラマや演劇が生み出されることで、立川のイメージを強くする効果が期待される。契約は2021年3月までの5年間。「10年は続けたい。そうすれば多摩の文化行政や地域がきっと変わる」と語る倉迫の言葉が印象的だった。

4 浮かび上がった教訓

筆者は、たちかわ創造舎のスタッフが専門人材である点を重視する。同創造舎に常駐する陽らは豊島区の「にしすがも創造舎」に勤務した経験を有していた。予想以上に撮影希望が寄せられたので、元学校校舎でのロケには需要があることを把握していた。撮影対応に豊かな経験があった。

同創造舎では市の補助金が年600万円にとどまり、決して行政頼みではないからこそ、資金的な「自立性」によって施設の「継続可能性」も高まると思われた。しかし単純に「稼げばいい」と主張するつもりはない。同創造舎であれ、京都芸術センターであれ、いずれも専門人材に施設や事業の運営を委ねている点を強調したい。廃校活用の際、「専門人材の配置」こそが、先に述べた4点に加えて5点目の評価軸になるのではないか。

廃校の活用は実に多様である。多様になる理由は学校が地域の実情を反映している場所だからだ。すなわち元校舎をいかに使うかは歴史的経緯、地域の需要、住民の要望等を抜きに語れない。市教委が「こういう施設が必要である」と上意下達で活用方法を決めても、きっとうまくいかない。

地元では「私たちの学校」という意識が強く、老いも若きも同窓生意識でつながっている。だからこそ、学校の元校舎の再利用は地元の人たちの意見に耳を傾けることが大切なのだ。地域住民が非営利団体を設立して、自ら運営する試みが期待される。

「地域ガバナンス」の視点でたちかわ創造舎をみると興味深い。これからの地域経営は自治体が独占するわけではなく、市民、事業者、企業などの民間も地域経営の一翼を担うという考え方である。「共治」「協治」などと訳される。廃校・閉校の活用はまさに地域ガバナンスの実践である。廃校に対する活用・転用の具合を見れば、地域の底力が分かる。

廃校の文化的活用には自治体の度量が試されよう。自治体の〈文化水準〉が浮かび上がってくる。「廃校をアートの拠点にすればいいのだ」と単純に他自治体の真似をするようでは〈文化水準〉は高くない。専門的な集団と人材と水平関係の協働を図りつつ、自治体の将来像を強く意識しながら、廃校における文化活用のアイディアを丁寧に練ってほしい。

注
1) 国立社会保障・人口問題研究所ホームページ。www.ipss.go.jp/pp-zenkoku/j/zenkoku2017/pp_zenkoku2017.asp（2019 年 5 月 16 日閲覧）
2) 文部科学省ホームページ。www.mext.go.jp/b_menu/houdou/31/03/1414296.htm（2019 年 5 月 1 日閲覧）
3) 会計検査院ホームページ。report.jbaudit.go.jp/org/h22/2010-h22-0178-0.htm（2019 年 5 月 1 日閲覧）

※本稿は松本茂章「廃校を活用した文化施設の評価」『地方自治職員研修』2019 年 8 月号の原稿をもとに大幅に加筆して全面的に書き直したものである。**3**の事例は松本茂章「東京都立川市『たちかわ創造舎』」『公明』2017 年 5 月号の原稿を加筆修正して書き直した。

西村和代

1 様々な食文化を生み出す「食」

　筆者は 2009 年に「カラーズジャパン株式会社」（京都市左京区）を設立し、代表取締役を務めている。子育てや PTA 役員、生活協同組合での理事経験などから独自の主婦視点を持ち、環境教育、生涯学習、市民活動、食育、研修、体験学習、視察ツアーの企画・実施、講師派遣などを業務としている。社会人入学した同志社大学大学院総合政策科学研究科では、いのちと農と食をテーマに研究を行った。2009 年〜 2015 年には京都市中京区に伝統的な京町家を借りて「京町家 さいりん館」を主宰し、仲間とともに多目的交流スペースを創出し、市民活動やビジネス拠点づくりを行った。また 2014 年からは近隣で「おばんざい食堂 ひとつのおさら」を営んでいる。おばんざいとは、京都の日常的な家庭料理の意味で、「お番菜」「お万菜」などと表記する。「番」は「常用な、粗末な」という意味で、お茶なら「お番茶」である。昔は庶民の食事のことを指していた。おばんざいは、まごころの料理といわれる。季節を考え、家族の体調に合わせて味や料理法を変え、毎日工夫を凝らしながらもシンプルな食事であり、子どもたちにも、その親たちにも、新鮮に受け止められている。筆者は意識的に、食事の場が持つ教育効果に期待し、無関心層へのアプローチ、地域住民の交流、そして日常の食事を通した文化伝承を図ろうと考えてきた。

　第 1 章で編者の松本茂章が文化芸術基本法について言及しているが、筆者は、食にまつわる文化は文化政策の重要な柱であるべきだと考えている。実際、「和食；日本人の伝統的な食文化」がユネスコ無形文化遺産に登録された。和食とは、日本各地の地理的な多様性、自然の美しさを表した盛り付け、年中行事との密接なかかわりなどが特色とされ、家族や地域の人々との結びつきを深めるという社会的習慣であるとされている。食は、すべ

ての人々と密接にかかわりあい、様々な文化を生み出す。そこで本稿では、食文化の重要性を指摘しつつ、食がいかに生きる喜びにつながり、人々の気持ちを通い合わせることができるのかの実体験をつづり、食育の重要性を伝えたい。

2 現代社会における食育の重要性と各地の取り組み

「食育」と「食育政策」

　家庭において子どもたちに行う食育は重要であるが、学校教育、コミュニティの中で行われる食育は、家庭で行うものを超え、大きな影響力を持っているという点に着目してみよう。食育は、様々な他者との関わりがあり、本当の豊かさを考えるきっかけをもたらし、大人も子どもも自らの生き方に向き合う仕掛けとなるものなのだ。食育と言わずとも、食の教育は昔から存在し、それは教えるという行為だけではない。地域ごとに特色を持ち、家ごとの違いもあって当然である。風習や習慣のなかにあって、見て覚え、やりながら身につけるそのようなものすべてが、伝統や文化に通じている。

　食は社会情勢を反映する。医学博士で食育に詳しい島田彰夫は「ホウショク」を四つの時代に分類した。[注1] ① 1960年ごろまでの「豊食」の時代（従来の食術が継承され、人の食性と調和した食生活が見られた）、② 1980年ごろまでの「飽食」の時代（工業化、経済成長のなかで輸入食材が増加し新しい食生活が普及した）、③ 1980年ごろ以降の「呆食」の時代（食術を知らぬ世代が増加、とりあえず何か口にしておけばよいという傾向が広まる）、④現代「崩食」の時代（人の食性と調和する食生活のかたちが崩れてきた）である。

　近年の食を取り巻く状況は危機的で、生活スタイルの変化に伴い、日本人の食生活は欧米化し、伝統が失われつつある。食の安全性には不安がつきまとう。さらには肥満や生活習慣病の増加、過度の痩身志向などが低年齢層にまで及んでいる現実も見逃せない。このような動向に対して、「食育」を推進する動きが起こった。

食育の語源をたどると、明治時代にまで遡ることができ、その意味は現在にも通用するものであるが、実際に食育という言葉が一般に使われるようになってきたのは 1990 年代からである。食が生活の基本となる重要な要素であることを多くの人が認識し始め、社会的な関心を集め始める。2000 年代に入り、当時の文部省、厚生省、農林水産省の共同で策定した「食生活指針」では、「国民の健康の増進、生活の質の向上、及び食料の安定供給の確保を図る」とした。このなかには、食育という言葉は使われていないが、現在の食育政策につながる流れとなっている。

　政府・省庁関係で初めて「食育」という言葉が登場するのは「経済財政運営と構造改革に関する基本方針（骨太の方針）2002」で、30 のアクションプログラムのなかに「健康寿命の増進」が挙げられ、「関係府省は、健康に対する食の重要性に鑑み、いわゆる『食育』を充実する」という文言が入る。また同年 11 月には自民党の政務調査会に食育調査会が設置され、各省庁での予算要求において、食育推進にむけた重点施策の要請を行ったことから、2003 年から「食育」が「政策化」されることとなった。

　憲法 25 条には、「すべて国民は、健康で文化的な最低限度の生活を営む権利を有する」とあり、食育基本法は、現在および将来にわたり、豊かで活力ある社会の実現を目指し 2005 年に制定された。同法では、豊かな人間性を育み、生きる力を身につけるために、何よりも食が重要であると示唆している。様々な経験を通じて食に関する知識と食を選択する力を習得し、健全な食生活を実践することができる人間を育てることの必要性が指摘された。

　同法は 2015 年に改正が行われ、食育推進業務は内閣府から農林水産省へ移管し、2020 年までの第 3 次食育推進計画を推進している。「食育に関する意識調査」が毎年行われ、食育に関心を持っている国民の割合の目標値を 90％にしているが、2019 年 3 月の最新調査によると「関心がある、どちらかといえば関心がある」をあわせても 76％にとどまっている。さらに、食育への関心理由（三つまでの複数回答）のうち「食にまつわる地

域の文化や伝統を守ることが重要だから」という設問では、実際のところ10.6％という結果が出ている。この調査では地域や文化、伝統の分野は高い数値を示していないが、実際はどうなのだろうか。食育という言葉の認知度は広がりを見せてはいるものの、地域や取り組み主体で差があるようだ。

　一方、文化芸術の役割も同じであり、心豊かな活力ある社会の形成にとって極めて重要な意義を持つといわれる。食育と文化芸術は、国際化が進展する中にあって、自己認識の基点となり、文化的な伝統を尊重する心を育てるものだという点で通底している。

食育の取り組み

　筆者は、2006年に食文化や場所の力を使って、食育コミュニティを生み出そうと、食に関心のある院生仲間らとともに、食と農の体験活動「食育ファーム in 大原」を始めた。総合的な食育体験活動として「畑から食卓までまるごと体験」をコンセプトにした企画で、対象は小学生とその家族とした。子どもだけの体験ではなく、家族が共通に体験することによる食育効果を図るためである。初年度は16家族合計47人が参加した。

　農作業、食育体験の場所は、同志社大学が学外社会実験施設として京都市左京区大原に設けた「農縁館・結の家」および隣接する農地である。10年間耕作されず、放置してあった土地を開墾することから始めた。第1回（2006年8月）には、灼熱の太陽が降り注ぐなか、子どもたちは大人と協働し、夢中になって草刈作業を続け、耕された土地に畝をつくり、ようやく畑の状態を取り戻したときには皆喜んだ。第2回（9月）は手入れと植え替えが中心だった。野菜が発芽し、成長する姿を見て感激していた。第3回（10月）には稲刈りと収穫を行った。たわわに実る稲穂を観察することで、有機栽培で育てる稲には、益虫が多く存在していることを学んだ。大きく育った野菜の収穫を行い、共に昼食を取った。

　第5回（12月）には中京区衣棚通丸太町にある同志社の学外施設「江湖館」（当時築80年の京町家）に活動場所を移して、本格的なキッチンや

昔ながらの「おくどさん」（かまど）を使い料理をした。最終回（2007年1月）には「子どもレストラン」を開店し、60人の来場者に料理を提供した。参加した祖父母が、「子どもたちの親世代も含めて、なかなかできない体験だし、こうした活動を続けてほしい」と語っていた。

　目に見える成果として、参加した家族が家庭での「食事の場」を考えるようになった。家族で買い物に行くと、子どもが野菜を買うように促すようになり、家でも野菜をよく食べるようになった。虫くいの葉っぱを嫌がらなくなり、においで夕食を当てるようになった。畑仕事の後に、「疲れたから外食をしよう」と親が誘うと、「畑でお野菜をいっぱい採ってきたから、それを食べよう！」と子どもが言う。筆者は「農体験」が子どもたちに与える影響、インパクトの強さを実感した。

　2007年〜2010年には、同志社大学とNPO法人同志社大学産官学連携支援ネットワークによって行われた「京丹波特産品のブランド化による地域活性化」プロジェクトに参加した。京都府京丹波町は、同町面積の81.2％が森林で占められ、冷涼な高原性の気候を利用した農畜産品は丹波マツタケ、丹波栗、丹波黒大豆、丹波大納言小豆が生産され、米、豚肉、牛肉、山の芋、各種野菜類、ワインも丹波の冠を称している。同プロジェクトでは、大学と地域企業との協働から新たな地域力再生モデルを創出しようとしていた。筆者のアイデアから企画された豚枝肉の解体も行われた。筆者が枝肉を切り分ける技術者へのインタビューを交えながら肉の部位説明をすると、舞台に置かれた枝肉を初めて見た参加者は、豚が肉になっていく過程を「いのちをいただいている実感がわきます」と言った。

　また、「まめおやの会」と名付けた黒豆オーナー制度を企画した。初年度の2007年には16家族が参加し、農作物がどのように育ち、私たちの手に届けられるのか、作付けから収穫、試食までを体験した。生産者の大崎克巳は、「お正月に使える最上級の黒大豆は、選別されたほんの一握りです」と語り、丹波地域で古くから栽培されてきた大粒の黒豆である「丹波黒大豆」が貴重な京野菜として、生産努力が重ねられてきたことを知った。

全国各地でもさまざまな実践が取り組まれている。学校教育において食育は重要な課題である。2005年には食に関する指導を行う栄養教諭制度が始まった。多くの学校では学校給食を食育の場としているが、一方で体験型の食育プログラムにいち早く取り組んでいる学校がある。しかし、農の現場から食事の場までを体験し、全人的な学びにつなげる食育は少ない。

　近年、エディブル・スクールヤード（以下 ESY）と呼ばれる学校食育菜園が世界中に広がっている。1995年アメリカの公立校、マーティン・ルーサー・キング Jr. 中学校で始まった持続可能な生き方のための菜園学習プログラムだ。同中学では、校内の駐車場だった場所に生徒、地域住民、先生たちが力をあわせて美しい菜園をつくった。「食べられる校庭」と名付けられた同ガーデンでは、自然を敬い、食を心から味わい、エコロジーを学ぶ授業が行われている。ESY の創始者であるアリス・ウォータースはここでの学びを「どれも一度体験したら、一生変わらない大切なことばかりだ」と語る。食べ物の由来や育て方、味覚、栄養、食と地域とのつながり、生きる力を学ぶとともに、大人の関わりなどの「あり方」を示す教育プログラムといえ、政府にも働きかけ給食改革にも取り組んでいる。

　翻って日本での給食改革に目を向けると、地産地消で給食の食材を調達することに取り組む自治体は増えてきている。地域で採れる野菜や肉をその地域の給食に出していくことはどれほどに難しいことなのか。現状は、地場産物の使用は、2015年時点で27％である。各地で意欲的な取り組みが見られる。

　福井県小浜市は、平安時代以降「若狭もの」という呼称のもと、京の都の食卓も支えてきたことを背景に、伝統ある食に着目し、「食のまちづくり」を推進している。食は、地域の伝統・文化・生活と密接な関わりをもっており、食に光をあてることによって、地域の総合的な政策も大きく方向づけることができ、また、歴史と伝統ある食文化に着目することは、地域のアイデンティティの形成に寄与することになるわけで、農林水産業をはじめとする産業の振興は欠かせないという。同市の全小中学校における給食

は校区内の生産者から優先的に食材を調達する「校区内型地場産学校給食」である。各学校の地域特色を生かした食育の推進に取り組む。県内市町で唯一、全小・中学校で自校式を貫いていることも大きな特色だ。県内では、給食センター方式や民間委託方式が次々に導入されていく中で、すべての小中学校で米飯含め自校式を続けているのは小浜市のみだという。同市教委教育総務課は、出来たての給食を味わってもらうこと、作り手の姿が身近に見えることなどを理由に挙げた。

石川県羽咋市では、日本で初めて自然栽培の米と野菜を取り入れた給食を2006年に実施した。同市では自然栽培新規就農者支援を行い、農地の確保や環境保全型農業を推進する。自然栽培をブランド化し、普及を目指している。

千葉県いすみ市では2017年から、市立小・中学校の全13校で、給食に使用するご飯について全量を無農薬無化学肥料の有機米に改めた。「安心安全なお米を子どもたちに」との思いから始まった取り組みは、子どもたちにも好評だ。生産者らと一緒に食事をするイベントも行われ、農家を継ぎたいという子どもの声も聞こえてくるそうだ。

上記の給食改革は、食育の基盤となる考え方が地域によって育まれるという好事例であろう。子どもたちが、給食で有機農産物やオーガニックの良さを知ることができると、家庭への影響に直結する。農家を支えることは、食文化を守ることでもあるし、オーガニック学校給食の実現が、食育とコミュニティ振興に深く関わっていくだろう。

❸ おばんざい食堂「ひとつのおさら」の活動

次に、筆者自身が運営してきた「食堂」の活動を紹介したい。コミュニティづくり、まちづくりとも関連した、文化を生み出す日常の営みである。

序章としての「さいりん館」

冒頭に触れた「京町家 さいりん館」では、節句にひな人形が飾られた

床の間の前で映画鑑賞、英会話や習字教室、味噌づくり、ヨガ、鍼灸、いけばなや展示会などを開催し、お座敷の七変化を地域の方と楽しんでいた。

　しかし築90年の古い民家だったこともあり、食事を提供する設備ができなかった。集まりに食事はつきものである。昔から、まつりごとには必ず酒宴が設けられる。同様にワークショップや講習会のあとに美味しい食事を囲みながらの集いは、土地に根ざす文化や人々との絆などの関係性をより深める。次第に食事の場面で何が一番大切かを考えるようになる。丁寧に作った昔ながらの料理をいただくと、多くの人は安らぎと幸福感を感じてくれる。食材、料理の腕、器、花、音、場所や空間のなかで、人と人との交流・会話が生まれると確信した。とはいえ通り過ぎる人やワークショップや研修会には関心のない人たちには、食事の大切さ、食文化や伝統を伝えていくことができない。食の企画を立てても、関心のある人のみが参加する。対して飲食店を営めば多様な人たちと接点を持てるのではな

写真1　ひとつのおさらの外観

写真2　ひとつのおさらの内観

いか、と考えた。

　これが「ひとつのおさら」の開店につながる。2012年秋、筆者に「使っていない町家を活用したい。建物を見に来てほしい」との相談が、町家の持ち主である高野嘉夫の長男、高野洋一から寄せられたのだ。京都では町家は保存対象であるが、持ち主の負担は大きく、多くの町家が壊されている。町並みや景観の保全が危うい。高野親子は、京町家の保存活用を強く望んでいた。話し合いを重ねた後、築80年を超える町家を借り受けることが決まり、飲食店の構想を進めた。

「ひとつのおさら」の取り組みと仲間たち

　筆者の専門は環境教育とソーシャル・イノベーションである。飲食店の構想も、食に向き合うことで社会を変えていく手段と考えた。食育を通じてコミュニティを再構築しながら、地球のことを考え、未来に向かう食の取り組みを行いたいと思った。大人も子どもも共に食文化を作り出す地域社会を実現したかったのだ。

　「おばんざい食堂」と命名した理由は、プロがつくる料理ではなく、家庭の味を提供したかったからだ。先述したように、おばんざいとは京都の一般家庭でつくられてきた惣菜の意味だ。日常には食事だけでなく、遊び、伝統行事なども含まれ、こうした総称が京都の暮らしだった。飲食業をやることで、日々のごはん、食から考えていくことを自然と伝えられるよう、その第一には、食に関心のある人が来る店ではなく、無関心な人への気づきを提供していくことだった。普段のおかずを、信頼の置ける生産者からの食材を使い、まじめに一からつくる、その行為を来店される方に喜んでもらいたい、そして海外の方にも伝えたい。特別ではない、普段の食生活、高級食材を使うわけでもない、そうした日常のごはんの大切さを伝え、考える場でありたい。最初に、誰がどのような料理を作り、誰に食べてもらうのかを検討した。筆者自身も料理が好きで、家庭料理ならたいていのものは作れるが、プロのようにはいかない。料理修業もしていない。とはいえ、

料理人を探して、筆者が思い描くおばんざいを作ってもらえるのか、手探り状況であった。筆者の想いを聞いて「私が料理するよ」と名乗りを上げたのは"ママ友"であり調理師免許を持つ三田明代である。筆者と彼女は同じ地域で子育てをし、お互いの料理の腕もよく知っていた。さらに、料理上手な上松千枝実、カフェ運営の経験のある大久保徳子が集まった。みな主婦であり、子育て経験のある母親たちでお店を始めることになった。開店当初から料理のアイデアを出し、自ら腕をふるってくれている上松は、「家のご飯が一番飽きなくて美味しいものよ」と言い、お客様の好みを覚え、季節ごとに器を変えるなど、お出しする料理に愛情を注ぐ。

その後、学生、小さな子どもを持つ母親、カフェを開きたい人、親の飲食店を継ぐための修業をしたい人など、さまざまな人がスタッフとして関わってくれているが、みな料理が好きで、食べるのが大好きだということが共通している。食べに来てくださるお客様の健康を考え、家族に出すように美味しいお食事を出したい、楽しく食べてほしいと願っている。その気持ちが笑顔となって接客に表れる。

地元で作られた野菜を中心に、油揚げや椎茸などがよく使われるおばんざいは、農家直送の京野菜、本物の調味料を使い、化学調味料を一切使わず、すべてが材料からの手作りした料理ばかりだ。子どもたちは、ひじきの煮物をご飯に混ぜたりして大喜びしている。その横で、「この子、ひじきが食べられるんですね」と母親が驚いている。スタッフの大久保は、「手作りの美味しさをわかる一番の物差しは"子ども"ですね」と断言する。同店では、食材は近郊のものを選び、仕入れ先には筆者自らが訪れ、生産者やその地域とのつながりを持つ。使用している調味料は、店頭で販売も行う。食堂が農家とつながり、お互いに支え合う関係を作ることも重要である。野菜のなかには、市場には出ない不揃いで形の悪いものがあり、採れすぎることもある。飲食店では買い取って料理して提供できるのが強みだ。反対に、市場価格が高いときにも、いつもと同じ金額で納入してもらっている。安心できる採れたての野菜は、農家産直の野菜市を開催してもらい、

地域の方々にも購入の機会を作っている。農家の水沢康之は、「先週のトマトが美味しかったとか、いつ万願寺とうがらしが出てくるの?とか、どうやって料理したらいいの?とか、今まで直接食べる人から声を聞く機会が無かった。野菜を作る気持ちに力が沸いてくる」と語る。地域の人は「次の野菜市はいつ?」と尋ねる。食堂で食べるだけでなく、自分たちの食卓にも信頼できる食材が入手できるようになり、地域で水沢野菜は人気だ。

地域との結びつき

　学生の活動が活発な京都ならではの取り組みとして、心地の良い場所と食育をつなげ、地域の食堂の可能性を広げる「まなびの食卓」を、筆者と京都大学の学生を中心にスタートさせた。2015 年に非営利の任意団体「食と教育企画ラボ」を立ち上げ、子どもたちの探求心を育む場所を目指した。「食事付きの塾」と位置づけ、時間帯は営業時間終了後、もしくは定休日に開催している。対象は保護者が仕事や諸事情で帰宅が遅くなり、食事を共に取れず、孤食となってしまう子どもたちである。保護者は子どもをまなびの食卓で過ごしている間、安心して仕事や所用を行う。子どもたちは、宿題や食事を大学生スタッフと共にする。活動時間には必ず、探求心を育むための時間を設け、学ぶことへの意欲につなげている。中心になって活動を立ち上げた小屋松ちひろは、「お父さん、お母さんにも、定休日が必

写真3　ひとつのおさらの料理/絹厚揚げの自家製肉味噌がけ（提供：井上淳）0

要ですよね」、その言葉には、子育てを地域で見守ろうという気持ちが現れている。飲食店が場所を提供するというアイデアは、地域に数ある飲食店が子どもたちの新しい居場所になっていくというモデルケースである。コミュニティの中に、子どもたちが安心して美味しい食事ができ、食育にも合致し、異年齢での活動と学びの探求がある塾として、現代的な課題に取り組んでいる。まなびの食卓で提供している食事は、昔から京都の各家に伝わる家庭料理である。自分の家の食事しか知らない子どもたちが、違う料理を口にする機会にもなっている。

4 浮き彫りになったこと

「食の主権」回復に向けて

　かつて日本人の食生活をみると米食を中心にした植物性の食材が中心で、食の大半は自給、もしくは顔と顔が見える範囲での地域内自給によって賄われていた。そこにはある種の信頼関係が存在した。現在は一部を除いて食の自給は例外になり、食は購入し、消費するものとなってしまった。経済的効率性を優先し、食は工業化され「食べもの」に〈いのち〉を感じることがなくなっている。こうした状況はアート作品や伝統的工芸品でも同様な状況なのではないだろうか。食は、資本主義産業構造とグローバル経済の中に完全に組み込まれてしまった。農作物は低コストで栽培できる生産地から大量に輸送され、また海外産地から輸入されるものがスーパーマーケットに並ぶ。そして工業的に生産される「食品」が流通し、販売され、消費される。その結果、現代の若者の食はコンビニとファストフード店に依存し、支配され、家庭においてもインスタント、レトルト、冷凍食品と電子レンジの組み合わせで、ようやく食が成り立つようになっている。日本の社会に存在した「豊かな食の風景」が消え、グローバル化による侵略が進む現状を、回復していく取り組みが食育の本質である。

　一方、現代の子どもたちは、自然体験、生活体験や社会体験が十分とはいえず、無関心や生きる力の衰弱から自尊感情が乏しくなっていると感じ

られる。とりわけ、〈いのち〉の営みのなかでのつながりから、自分の存在を実感できる体験が不足しているのではないだろうか。この点も、芸術の大切さと通底していないか。筆者が考える「食育」は、もちろん食に関する教育であり、学習の取り組みを指している。そのなかで特に、人と人の共存、「人は自然の一部」という認識、地球に対しての愛情を育てる教育でなくては、個人の生き方に影響を与えるものになっていかないと強く考えている。食に関する問題を知り、その解決策を考え、自らの食生活を見つめ、行動を起こしていくことを意味している。行政が推進し、法律で縛られずとも、人間の生きる根源である「食べる」ことを豊かにしていく文化創造を繰り返す営みなのである。

食育と文化

　食育と地域コミュニティの振興の関係に、文化が橋渡しをしていることがわかった。食育は、「伝統的な食文化についての総合的な教育」でもある。食育で伝えていくことは、個々人の責任範疇にとどめることなく、コミュニティのなかでともに行うこと、すなわち文化をつくっていく過程で大切にすべきことである。食育を進めてきたなかでの反省があるとするならば、文化創造の視点を持っていなかったことではないか。文化創造と思って食生活をしているわけではないが、事実、「文化を創る行為」なのである。家庭での食事も含め、飽くなき挑戦が食の分野にはあり、楽しみがあり、美しさがある。ひとつのおさらでも取り組んでいる、ごみのでないお弁当は、仕出し文化を継承するものである。日本古来の知恵がつまった日常の食のシステムを支えるのが文化である。目の前の海から上がってくる魚や海産物、手塩にかけて育てられた米や野菜、豊かな自然と多くの生産者に支えられて、食がある。土地の世話をする人たちに敬意を払う日々の暮らしが文化であり、生きる豊かさを伝えていくための食育に期待する。

　注
1）島田彰夫「医療健康とスローフード」（特集 スローフード運動‥日本の食と農に何を提起しているか；第2部 なぜ今スローフード論か）『農業と経済』69(1)、2003、56-57頁

第7章
福祉・医療

7-1
舞台芸術活動と社会包摂

長津結一郎

1 芸術と社会包摂

　近年の文化政策において欠かせない語が「社会包摂（social inclusion）」である。社会包摂という言葉が文化政策分野において国の文書で登場するのは、2011年2月に出された「文化芸術の振興に関する基本的な方針」（第3次基本方針）である。その後、2012年に成立した「劇場、音楽堂等の活性化に関する法律」（通称：劇場法）に関連する議論の中で、劇場等の文化施設が果たす社会的役割の一つに社会包摂が挙げられ、2013年の「劇場、音楽堂等の事業の活性化のための取組に関する指針」では、劇場や音楽堂等が「社会参加の機会を開く社会包摂の機能を有する基盤として、常に活力ある社会を構築するための大きな役割を担っている」と明記された。

　本節では、文化政策における社会包摂について、特に劇場、音楽堂等を中心とした舞台芸術分野における障害のある人との活動にフォーカスを当てながら論じる。

2 障害者芸術に関する近年の法的動向

　文化庁においては前述のとおり2011年以降、芸術による社会包摂の可能性が論じられるようになってきた。2017年に施行された文化芸術基本法においても、「(略)文化芸術の固有の意義と価値を尊重しつつ、観光、まちづくり、国際交流、福祉、教育、産業その他の各関連分野における施策との有機的な連携が図られるよう配慮されなければならない。」（文化芸

術基本法第2条十）と示されている。

　一方、厚生労働省は1995年「障害者プラン」において生活の質（QOL）の向上を目指す文脈で芸術・文化活動の振興が明記され、以降障害者基本計画において芸術活動の振興が位置付けられてきた。2012年度からは全国障害者芸術・文化祭が国民文化祭と同一の都道府県で行うよう定められ、2017年度からは会期も同一のものとして開催されている。また2015年度〜2017年度には「障害者の芸術活動支援モデル事業」が行われ、全国をブロックに分け相談支援や人材育成などの事業を行うセンターを地域の事業所に委託する事業を開始した。これらは2018年度より「障害者芸術文化活動普及支援事業」となり、モデル事業での知見を踏まえ、都道府県が主体となる普及支援事業（2019年度は30都府県が実施）に加え、全国レベル及びブロックレベルにおける支援を行うセンターがそれぞれ設置されている。

　この領域は、福祉と芸術で所管官庁が異なる分野であるが、積極的に省庁を横断していこうという試みが早くからあった。2008年には文部科学省と厚生労働省の共同主催により「障害者アート推進のための懇談会」が開かれ、障害のある人の表現活動に対する国による支援が検討された。2013年にこの懇談会での議論を引き継ぎ文化庁と厚生労働省により実施された「障害者の芸術活動への支援を推進するための懇談会」で中間とりまとめが出され、支援の方向性として「裾野を広げる」という視点と、「優れた才能を伸ばす」という視点を踏まえた施策の重要性が指摘された。

　また国会では2013年に「障害者の芸術文化振興議員連盟」が設立され、数度の改称を経て、2018年に議員立法として「障害者による文化芸術活動の推進に関する法律」の公布・施行に尽力した。この法は基本的施策として、①文化芸術の鑑賞の機会の拡大、②文化芸術の創造の機会の拡大、③文化芸術の作品等の発表の機会の確保、④芸術上価値が高い作品等の評価等、⑤権利保護の推進、⑥芸術上価値が高い作品等の販売等に係る支援、⑦文化芸術活動を通じた交流の促進、⑧相談体制の整備等、⑨人材の育成

等、⑩情報の収集等、⑪関係者の連携協力、が記述されている。

　さらに、文部科学大臣・厚生労働大臣が定める基本計画で施策を具体化することが義務付けられており、地方公共団体は計画策定の努力義務があるとされた。その後、法律に基づいた国の基本計画の策定にあたっては、文化庁（地域文化創生本部）と厚生労働省（社会・援護局障害保健福祉部企画課自立支援振興室）の連携が行われた。法律や基本計画の策定プロセスは拙稿も参照のこと。[注1]

3 全国に広がる具体的な取り組み

　もちろん、法律が制定される以前より障害のある人の表現活動は活発に行われてきた。舞台芸術分野に特化して言うと、特にそれが大きく花開いたきっかけは、2004 年〜 2008 年に明治安田生命相互保険会社とエイブル・アート・ジャパンによって行われた助成金プログラム「エイブルアート・オンステージ」である。障害のある人とアーティストによる作品制作に助成金を出すとともに、そこで生まれた作品のうちいくつかを東京で上演する機会をつくり、障害のある人の舞台芸術活動に関する全国への啓発とネットワーキングを行った。[注2] その「レガシー」から現在では、障害のある人にとっての多様な文化へのアクセスを保障しようという活動が全国で展開している。

　例えば鑑賞活動で言えば、聴覚障害などさまざまな障害を持つ人々に対する劇場鑑賞体験の場について普及啓発を行う NPO 法人シアター・アクセシビリティ・ネットワークの活動や、あらゆる障害種別の人々に対して鑑賞や創作体験の場を提供する国際障害者芸術センタービッグ・アイの活動が挙げられる。また創造活動や発表の機会は全国各地で数多い。イギリスなど海外で活躍する障害のある芸術家を招聘しての創作も全国の劇場で行われているほか、筆者が普段活動の拠点にしている福岡県においても、福岡県立ももち文化センターで障害のある子どもや大人を対象にした演劇・ダンスワークショップを企画したり、NPO 法人ニコちゃんの会では

身体障害のある人が出演する演劇作品をコーディネートしている。

　福祉と芸術の連携が数多く進むなか、実際の現場には、一筋縄ではいかない困難もある。制度的に他分野との連携が求められる一方で、現場ではどのように連携したら良いのかという声も聞かれる。アーツマネジメントという言葉の概念範疇は非常に広いが、社会と文化の「つなぎ手」にかかわるような言葉であることは確かである。福祉分野と芸術分野の「つなぎ手」として機能することが希求されるこれからの文化／福祉分野で働く人々には、どのような知見が求められるだろう。ここでは、九州での小さな事例を追うことで、もう少し深く考えてみることにしたい。

4 事例：都城市総合文化ホール

ホールの概略

　都城市は、宮崎県の南西端に位置する人口 16 万 1137 人（推計人口、2019 年 6 月現在）で、宮崎県内では宮崎市に次いで大きな都市である。都城市総合文化ホールは、老朽化した都城市民会館の後継施設として、JR 都城駅前に 2006 年 10 月に開館した。「創造とコミュニケーションの場として、すべての人に開かれた多機能総合文化施設」を目標とし、1461 名収容の大ホール、682 名収容の中ホール、練習室、会議室のほか、舞台美術等を制作できるような創作室、スクール形式の講習会などを行うようなワークルーム、地元ケーブルテレビ等が使用するテレビ・ラジオスタジオ、食堂などが設置されている。運営は指定管理で、開館当初より公益財団法人都城市文化芸術振興財団が担い、2011 年からは宮崎県音響照明舞台事業協同組合（MAST）も加わった形で、「都城市文化振興財団・MAST 共同事業体」により運営されている。

　2018 年度からは、それまで自主事業を「鑑賞事業」「普及育成事業」「創造事業」「交流事業」「情報事業」の 5 区分にしていたものを、国の動向や、2020 年に宮崎県で開催する「第 35 回国民文化祭」「第 20 回全国障害者芸術・文化祭」に鑑み、文化振興事業を三つに整理した。良質な公演を鑑

賞する機会を提供する「公演鑑賞型事業」、より広い層の地域住民に舞台芸術に親しんでもらい、普及させる「普及啓発型事業」、そして文化活動を通じて地域社会に貢献する「地域貢献型事業」である。本稿では、主にこの「地域貢献型事業」についてフォーカスを当てて詳述していく。

障害のある人の舞台芸術活動について、宮崎では長年の実績がある。三股町と門川町を拠点に活動する劇団こふく劇場が、宮崎市内の福祉作業所アートステーションどんこやと協働し2006年より演劇プロジェクト「みやざき◎まあるい劇場」をスタートさせていた。エイブルアート・オンステージの支援を受け2010年に東京公演を行ったほか、他の都府県において公演を行うなど、多くの実績を持っている。

ホールにおける社会包摂に関する事業の展開

「都城市総合文化ホールが社会包摂に関する事業を手がけるようになったきっかけは、全国の先進事例に触発されたことにあった」とホール事業課職員（インタビュー当時。2019年3月で退職）の松原正義は語る。2014年度に実施された全国公立文化施設協会が主催するアートマネジメントセミナーに参加した松原は、社会包摂に関する先進的な取り組みを行う岐阜県可児市の可児市文化創造センターalaの取り組みを知る。それに触発され自分の館でもやってみようと思い、2016年度に社会包摂に関する複数の取り組みを同時並行でスタートさせた。義足のダンサーである森田かずよによるダンスワークショップは、おもに障害のある人やその周囲の人を対象としていた。コンタクト・インプロビゼーショングループ C. I. co.（シーアイシーオー）によるワークショップは、都城周辺に在住している外国人を主な対象としていた。そのほか、高齢者と演劇の取り組みを行う菅原直樹のワークショップ、おもに不登校や引きこもりの人々を対象とした演劇ワークショップも実施した。

2017年度はその多くの取り組みの中から、森田かずよによるダンスワークショップを継続事業とし期間を拡大した（前年度は2日だったのを3ヶ

月に）。また新たにアシスタントとして地元在住のダンサーである徳永紫保が参加した。ワークショップの成果として、発表会「みんなでつくるダンス公演　大きなキラキラ」を実施し、それを契機として、参加者によるカンパニー「オドッド・ミッド」が誕生した。

　2018年度はこうした取り組みを「地域貢献型事業」として包括的に位置付ける。前年度のダンスのプログラムは徳永のファシリテートによる「はぐくみのダンス　はぐダン！〜障害のある人もない人も共に踊ろう〜」として継承され通年事業となった。また、C.I.co. によるワークショップは「ふれあうことから始まるダンスワークショップ」として復活。そのほか、菅原直樹によるセミナーとワークショップのほか、音楽とダンスに関するトークイベント、ろう者と聴者でつくる人形劇団による公演や、聴こえない人にとっての音楽を探る映画の上映会などを実施した。

事業を通じた成果と課題

　こうして事業を並べると、充実したプログラムを数多く実施しているように見えるが、松原が「やれるんですよ。だけどそこから、皆の中に残っていってないのかなと思っています」と語る。ここからは、都城市総合文化ホール職員と、後述する都城市社会福祉協議会職員に実施したインタビュー調査（2019年2月19日）をもとに、そこにある成果と課題について考える。

　松原が2016年当時に企画を複数立ち上げようとした際には、それぞれ地域にもともとある文脈を活かそうと考えていたという。例えば森田かずよのワークショップに関しては前述した「みやざき◎まあるい劇場」の存在があったことや、以前よりホールでダンスワークショップに参加する障害のある人が、森田を招聘したいという思いをもっていることを松原自身が直接聞いたことがきっかけだったという。

　ただ、C. I. co. のワークショップで外国人を対象とした際には、地元の国際交流協会に周知を依頼したが、出稼ぎで来ているような人々を協会が

把握できておらず、十分に告知が行き渡らなかった。一方、不登校の人々を対象にしたワークショップの際には、都城や宮崎の福祉施設や福祉サークルに相談に乗ってもらい情報を集め、チラシの文言について指摘をしてもらうなど工夫を凝らしたという。

　当時のことを振り返って松原は「この時やったことが、"財団の事業"にあまりなっていなかった、っていう反省は僕の中にあるんですよ」と語る。財団の中で松原は比較的企画を出す立場になることが多く、松原がやりたいといった企画は比較的承認される傾向があった。ただワークショップでは、参加する一人一人に個別的な対応が必要な局面や、あまり現場に多くの職員が立ち会うと場の雰囲気を壊してしまうこともある。そのため、松原だけがワークショップに立ち会う企画が生まれてしまったという。松原は、継続をしていくうえで他の職員も事業報告書を読むだけではなく「障害のある人と対面していかないと、（ワークショップの意義が）すりこまれていかないので、そこをどこまでやっていけますかっていう感じですかね」と話す。

　ここまでの松原の話からは、ホールが新たな社会的領域に踏み出そうとする際の方法とその困難さについてうかがい知ることができる。単にホールで手をこまねいて待っているだけではなく、ホールの外にいる具体的な団体や活動体へのつながりの糸口を見つけることの重要性がわかる。その一方、その糸口がうまく企画にはまらないことがあったり、その糸口と企画のバランスによってはホール職員の中でもうまく事業成果が体感として共有しづらいということがわかってきた。

担い手の発掘

　その一方、プロジェクトを継続していくことでの変化も聞き取ることができた。その大きな成果の一つが、参加者であった徳永紫保の職員としての登用である。徳永は2018年4月より公益財団法人都城市文化芸術振興財団の職員として、主に地域貢献型事業の担当をするようになった。

徳永はクラシックバレエに長年取り組み、バレエ団でも出演してきた。出身地の都城市に戻ってきたあと、教室などでバレエを教えつつ、次にどのような活動をしたら良いか模索していたという。つねづね、「バレエはすごく狭い世界で楽しんでいるのではないか、社会に役に立てるのではないか」という感覚を持っていた徳永は2014年、都城市総合文化ホールで、国際的に活躍する振付家・ダンサーの伊藤キムによるワークショップが開催されるのを聞きつけ、「キムさんが都城に来るんだったらちょっと参加して」みたのがホールとの最初の接点であったという。

　その後、ホールが主催する複数のダンスワークショップに参加していたが、大きな転機、「自分の進む道を見つけることができた」きっかけが、2016年7月に開催された森田かずよによるダンスワークショップであったという。

　その時の徳永が持った印象を、インタビューの言葉を少し長いが引用する。

　　障害がある人と一緒に、本当にどうしていいか分からなかったんですよ。ちょっと触って、誰かに触って、この人がまた動いて、触って、この人が動いてっていうのをしたときに、車いすの、脳性麻痺の方と一緒にペアを組んでやったんですけど、本当にどうしていいか分からなくて。でも、この方の動きにというか、合わせようというか、呼吸に合わせよう、もう、この人に私の身を任せようっていう感じでやっていったら、すごく繊細に電動車いすを、私の足を踏まないように、これぐらいの、何ミリかのところで繊細にすごく、操作っていうのか何かして、動いてくださった時に、ちょっとこう、今までやっぱり障害がある方は助けるとか手を差し伸べるとか、そういう想いがあったけれども、何かこれは対等だなと思って。じゃあこうしたらこの人どう動くんだろうみたいな感じで、ちょっと、対等にやり合ってっていうのを、そういう経験を初めてして。これはなんか、全然、やっぱり、助けるとかそういうんじゃなくて、向き合ってやることだなって、お互いに同じ目線でいることなんだなっていうのを、そこですごく感じたんだと思うんですね。

徳永は、それまでのバレエの経験だと「型」からはみ出ることを恐れていたが、小さな動き、動きと言えないような動きもダンスと言うのだ、という発見があったという。「これがダンスなのであれば、ダンスを通してこういう気持ちになる人を増やせたりとか、気付きを渡すことができるのかなっていうのをその時思った」という。

　松原は、それまでの徳永のホールの企画での振る舞いを見て、徳永には地域でこのような活動の担い手になってほしい、という思いを抱いていたという。なぜなら松原は、他のダンスのジャンルを教える先生と異なり、「すごくしっかり、一人ひとり向き合って」いる印象を持っていた。

> この日、ここまで進めなきゃみたいなことが、あんまり感じなかったんですよね。むしろ会話を楽しんでいるような感じが。財団としてやっていくワークショップがこうやりたいなっていうのがあったので、振り付けを教えるとか、この日までにこれをやりましょうっていう企画にはしたくないなっていうのがあったので。その点でいうと徳永さんは、合格や、って思ったんですよ。

　そこで徳永は、2016年10月に、ホール開館10周年のイベントでの参加型ダンス公演のファシリテートを任された。2017年には徳永は森田かずよによるワークショップのアシスタントを務め、8月に公演「大きなキラキラ」を成功させる。

　その本番の出演直前、徳永は出演する障害のある人たちから、思わぬことを言われたという。「徳永さん、一回いくらですか?」と。それは、この本番が終わってももっとダンスをする場がほしいが、まとめたり、一緒にやってくれる人がいないので、徳永にそれを担ってほしい、という出演者からの切実な願いであった。徳永はどうしたらいいかと悩み、森田かずよに相談したという。すると森田は、「踊りたいっていう人が踊れるっていう場所があるっていうだけで、障害があるみんなは嬉しいと思う」とコメントした。その時に徳永は、自分がワークショップの中身ばかりに気を

取られていたけれど、踊れるための場をどのように作り、保っていけるかが重要で、そのためにはホールという場を活かすことに可能性がある、と感じたという。

　こうした経緯から、ホールが本格的に「地域貢献型事業」を始めるにあたって、徳永はワークショップのファシリテーターとしてだけではなく、さまざまな社会包摂の活動の担い手としての職員として雇用された。

　はじめは、メソッドの継承を重んじるような芸術ジャンルの担い手であった徳永が、ホールでの多様な人々との出会いを通じて、自らのダンスへの向き合い方も変わり、また徳永の存在が地域のさまざまな人たちを動

写真1　公演「大きなキラキラ」
　　　　（提供：公益財団法人都城市文化振興財団）

写真2　はぐくみのダンス はぐダン！〜障害のある人もない人も共に踊ろう〜
　　　　（提供：公益財団法人都城市文化振興財団）

かし始めていることがわかる。またそのことで、社会包摂に関する企画が
より有機的に"財団の事業"として機能していくきっかけとなっているよ
うにも見受けられた。

条例の制定と協定の実際

　最後に、都城市総合文化ホールをめぐる制度的な側面についても触れて
おきたい。

　都城市は2016年3月に、宮崎県ではじめての文化条例となる「都城市
文化振興条例」を制定した。また、以前より策定していた文化振興計画を
2018年3月に改定し、「第2次都城市文化振興計画」が策定された。条
例では基本理念として、文化の振興には「個人の自主性・創造性、文化芸
術の多様性を尊重」し、そのために「市、市民及び民間団体は協力し、連
携する」ことが求められている。

　こうした流れのなかで、都城市総合文化ホールでは、2017年9月に社
会福祉法人都城市社会福祉協議会と包括連携協定を結んだ。社会福祉協議
会とは社会福祉法で規定される組織で、民間団体でありながら行政からの
予算措置に多くを依っており、福祉施設等の民間事業者と行政機関や住民
との橋渡しを行う機関である。都城市社会福祉協議会では地域福祉や相談
支援、在宅福祉、保育などの福祉サービスを行うほか、点字図書館の運営
も行っている。社会福祉協議会が公共ホールと包括連携協定を結ぶのは全
国的に見ても異例と言える。

　包括連携協定が結ばれたのは、ホールで社会包摂に関する取り組みが始
まったあとである。2016年度の事業を財団の評議員に向け報告したとこ
ろ、市の会計監査人の立場で評議員に就任していた役員の共感を呼んだと
いう。そして、その役員が次年度より社会福祉協議会の専務理事になるこ
とが決まっており、社会包摂に関する取り組みを社会福祉協議会と連携し
てやるのがよいのではないかという提案があったという。そのことがきっ
かけで包括連携協定が締結されることとなった。

ただ、実際の現場での連携が先行して行われた協定の締結ではなく、ま
ず協定を結ぶところから連携が始まったため、現場ではどのように連携し
ていったら良いか模索する時期が続いたという。松原にしてみれば、「社
協の事業自体も実はよくわかっていない。こんなことをやっているんで
すってわかれば、もっと僕らの視点で、そこに入っていけませんかね、と
いう話もたぶんできると思うんですよ」と語る。

　一方、社会福祉協議会の総務課長（インタビュー当時）である櫻田賢治
は、障害のある人との日々の関わりの中で、単に機能訓練だけでないもの
を学び披露する場が芸術を通じて生まれるとよいという思いを抱いていた
り、イベントを運営するにしても、障害のある人だけが集まるものではな
い広げ方ができればと考えていたという。ただ、日々の業務が多いのと、
実際にどのように関わっていいかわからないということで、具体的な連携
をするには至っていなかったという。

　もちろん、よく話を伺っていくと、障害のある人が芸術に接するための
ハードルは、社会福祉協議会の側がよく熟知しているようにも思われる。
例えばホールのイベントに障害のある人を案内しようとする時に、健常の
人は「ちょっと時間空いたから行ってみようか」とできるが、障害のある
人の場合は「かなりのエネルギーを使って一歩を踏み出す」のではないか
と櫻田は推測する。「今までそういうイベントを案内してこなかったわけ
ですからね、その人たちに。長い歴史で、あんまりそういうのを声かけし
ないで、じゃあここ何年かでって言われても、なかなか出づらいんでしょ
うかね」と言う櫻田の意見は大いに頷ける点がある。連携を制度化するこ
とと、それを実際の「有機的な連携」に結びつけようとすることのあいだ
には、お互いの文脈を超えたコミュニケーションの回路が求められるのが
ここでもわかる。

5 課題と今後に向けて

　都城市の取り組みは、先進事例に触発されて始まった後発事例であり、発展途上でもある。ここでは、すでに成功した実績のある事例ではない、現場でさまざまな試行を行いながら実践を行っている事例だからこそ学べるものがあると考え、都城市での小さな試みを追ってきた。そこからは、社会包摂に関わる舞台芸術に取り組むうえでの重要な視点として、大きく四つのことが浮き彫りになっているように思う。

　一つめは、松原の初年度の試みでわかるように、社会的課題に真っ向からアプローチするのではなく、社会的課題に具体的に接している「人」と出会い、つながるという視点である。だが、そのことはともすれば、対象となる「個人」と文化事業を担当する「個人」との個人的なつながりにのみ収まってしまう可能性もある。二つめは、こうしたつながりを、文化事業をともに担う組織の中にいる人々の共感を呼ぶための仕掛けづくりを試みる視点である。また三つめには、そのような営みを続けていくなかで関わりを深めていけそうな人、今後の担い手になりそうな人を丁寧に見つめていく視点である。そして四つめは、異なる文脈で集まった人たち同士が丁寧に対話できるための場を創出する視点である。

　このうち四つめについては、包括連携協定が先行しており、具体的取り組みはまだ途上であると述べてきたが、インタビュー後、2019年度も都城市総合文化ホールの事業を続けるなかで、その萌芽が見えつつあるように感じる。6月に、音楽家・野村誠とジャワ舞踊家の佐久間新を招聘し、社会福祉協議会との共催でのフォーラムを初めて敢行し、筆者もコーディネーターとしてその場に居合わせた。ホールではなく、社会福祉協議会が日頃から使用している都城市福祉会館を会場にして行われたフォーラムにおいては、会場設営から当日の進行に至るまで、さまざまな点での具体的な連携と試行錯誤、さまざまなトライアンドエラーを見るにつけ、これからの連携可能性をさらに期待できるようなフォーラムであったといえる。

福祉という言葉は英語で welfare というが、これは「よく（well）」「生きる（fare）」という語源からなる言葉である。あらゆる人がよりよく生きるための手立てを指す言葉が福祉である。その視点から考えると、「よりよく生きる」ことから疎外されている人々というのが、障害であったり、高齢であったり、さまざまな事情により社会に対して「障害」を感じている人々である。文化で地域をデザインする、というテーマを福祉の視点から捉え直すと、文化的な営みを通じて、人がよりよく生きるための方策を考えることが、地域の新しいデザインのあり方である。そしてその一歩は、「障害のある人」「高齢者」などといった肩書きとして付き合うのではない、個別具体的な、一対一のコミュニケーションの回路を開拓することから始まるのである。

　　注
　1）長津結一郎「芸術と社会包摂に関するこれからの文化政策の課題：障害者による文化
　　　芸術活動の推進に関する法律を手がかりに」『文化経済学』第 16 巻第 1 号、pp.42-44、
　　　2019 年
　　　長津結一郎「障害者による文化芸術活動の推進に関する法律及び基本計画の策定過程」
　　　『文化政策研究』第 12 号、pp.14-19、2019 年
　2）エイブル・アート・ジャパン＋フィルムアート社編著『生きるための試行　エイブル・アートの実験』フィルムアート社、2010 年

※インタビューに協力いただいた、松原正義さん、徳永紫保さん、櫻田賢治さんをはじめとして、都城市総合文化ホールや都城市社会福祉協議会に携わる方々に感謝申し上げます。また、都城の活動に関わるきっかけをくださった森田かずよさんにもお礼を申し上げます。本稿の研究は JSPS 科研費・JP16K21028 の助成を受けたものです。

7-2
ホスピタルアートの可能性

森口ゆたか

1 医療機関と文化芸術

　昨今、医療現場の環境は随分改善されているものの、通院や入院を余儀なくされている人たちが心身ともに癒やされるような施設は限られている。超高齢社会に突入した我が国において、病院などの医療機関や高齢者施設と全く無縁に最期まで迎えられる人はごく一部だろう。ほとんどの国民がお世話になるこれらの施設が、薄暗く気分も滅入るような環境であったとしたら、とても文化国家とは呼び難い。このように医療機関等は疾病の治療にとどまらず、生活の質を考えるうえでも、とても重要な施設なのである。

　医療機関で展開される芸術活動は、日本では「ホスピタルアート」と広く呼ばれ、病院や療養施設において徐々に認知されつつある。この分野での取り組みが古くから進んでいるイギリスでの歴史的背景、現状、国家の文化政策としての取り組みを踏まえながら、日本での現状や可能性、今後の課題について述べてみたい。

　日本でも徐々に認知されつつあると述べたが、2017 年に成立した「文化芸術推進計画」戦略 4 において、「文化芸術と教育、福祉、医療その他の分野の連携により、地域で人々が様々な場で文化芸術を鑑賞し、参加し、創造することができるよう、芸術家等及び文化芸術団体と、学校、文化施設、社会教育施設、福祉施設、医療機関等との間の協力の促進に努める」と記述されている。医療機関にアートがあることは、病院の通院、入院患者ばかりでなく、医師や看護師などの医療従事者のほか、病院職員、高齢者施設の入所者や職員など、医療や福祉機関に身を置く人たちが、芸術文化の力によって慰められ、生きる活力を得ることに、異論を抱く人はいないだろう。療養環境の改善は多くの国民の関心事であり、希求するところだからである。

さらに 2019 年 3 月、国は「障害者による文化芸術活動の推進に関する基本的な計画」を策定した。この基本計画は、2018 年 6 月に施行された「障害者による文化芸術活動の推進に関する法律（平成 30 年法律第 47 号）第 7 条」に基づき、障害者基本法及び文化芸術基本法の理念や方針を踏まえ、障害者による文化芸術活動の推進に関する施策の総合的かつ計画的な推進を図るため、文部科学省及び厚生労働省が策定したものである。2020 年に開催される東京五輪・パラリンピックに向けて、国の文化に対する取り組みが急速に加速している。このように日本の状況も少しずつ改善されてきた。

　こうしたホスピタルアートに、筆者は英国で出合った。

2 筆者のホスピタルアートとの出会い

　筆者は 1998 〜 2000 年にかけて、家族の留学先であったイギリスのマンチェスターに滞在した。2 年間の滞在を無駄に終わらせたくなかったため、現地の大学での聴講を希望し、行き着いた先がマンチェスター・メトロポリタン大学というヨーロッパでも有数の規模を誇る総合大学の芸術学部に属する「アーツフォーヘルス」（Arts for Health）という団体だった。

　当初は「アーツフォーヘルス」という授業名だと思って大学に聴講の登録に足を運んだのだが、たまたま翌年の 1999 年にチャーツ 99 というホスピタルアートの世界的シンポジウムを計画していた当時の代表のピーター・シニアに「ぜひ日本からも発表者を招きたい。ついては日本人として初めてこの分野に興味を示した君がコーディネーター役を務めてほしい」と言われた。運命の糸に絡め取られるように「アーツフォーヘルス」の日本人スタッフとして採用されてしまった。

　本当に偶然に、杉村荘吉という当時パブリックアート研究所と称した公共芸術の研究所を主催されていた方にもご助力いただける幸運に恵まれて、翌年の世界的シンポジウムには、日本からの使節団として杉村氏のほかに、厚生労働省の職員、病院経営者、富山の赤十字病院の設計者、医療

と笑いについて研究しておられる医師、医療とアートの関わりについて研究・実践されているアートマネジメントの専門家など、錚々たる顔ぶれの方々が10名も参加し、「癒やしと健康の国際シンポジウム99」（CHARTS'99）において日本の医療現場でのアートについて発表してくださった。この世界的なシンポジウムには実に28ヶ国から560名もの人々がマンチェスター・メトロポリタン大学に集結し、4日間にわたり、発表や議論が繰り広げられた。ヨーロッパ各国やインド、アフリカなど世界中から、医療関係者、アーティストや建築家、デザイナー、福祉関係者など、国籍も文化も職業も違う人たちが集まった。ただ一点共有するビジョンは「医療や福祉の現場に優れたアートやデザインの力は不可欠である」というものだった。大学構内の様々な教室で世界中の人たちが自国の具体例を挙げて発表し議論したこの熱き日々は、私にとって宝物で、この素晴らしい活動を帰国したらすぐ日本の方々に伝え、ぜひアートの力で日本の病院を変えていきたいとの強い思いを抱いた。

3 イギリスにおけるホスピタルアート事情

歴史的背景

　イギリスは世界的に見ても医療や福祉の現場に最も早くからアートを導入してきた歴史がある。ここで大まかにその歴史的背景を述べてみたい。そもそも西洋のキリスト教世界では、病院という施設ができる前に病人や戦争で傷ついた兵士たちを収容してきたのは、教会であった。修道女・修道士が神に仕えるために病人の手当をした。そしてその教会という場は、同時に西洋におけるあらゆる芸術の原点でもある。近代化の流れに従い、教会のステンドグラスやマリア像、キリスト像が教会の天井や壁面から離れ、一個の独立した作品となっていった。パイプオルガンで奏でられてきた宗教曲が独立した音楽作品となって鑑賞されるようになった。

　つまり、元来「医療と芸術」は、教会という場で宗教と不可分に結びついていた。宗教が病院から切り離されるようになったのは18世紀以降の

ことで、病院は貧民救済から離れて、もっぱら病気やけがの治療のために使われるようになり、専門化していった。ホスピタルアートというと、何か新しい概念や活動のことと捉えられがちであるが、実はその逆で、進化の過程で専門化、細分化した医療の世界が取りこぼしてきたモノやコトを、芸術の力によって拾い集めようとする、いわば「先祖返り」のような意味合いを持つ活動だと筆者は捉えている。

現「アーツフォーヘルス」代表であるクライブ・パーキンソンよると、英国における病院でのアート活動が始動したのは1950年代後半からで、病院の壁面に絵画作品などが飾られることが徐々に定着していく。1970年よりホスピス運動、物語と対話による医療、医学教育にもアートが取り入れられるようになった。マンチェスターにおけるホスピタルアートのプロジェクトが本格的に開始したのは1974年で、病院職員や患者らと共にアーティストらが療養環境に重要な役割を担うようになった。1976年には聖トーマス病院が近隣のテートギャラリーから恒久的に芸術作品を貸し与えられている。

イギリスでの現状

チャーツ99での素晴らしい4日間のシンポジウムで見聞を広めた後、日本から来られた使節団の方々と共にロンドンのチェルシー・アンド・ウェストミンスター病院という五つの病院が統合されてできた、美術館か病院か分からないほど素晴らしいアートの数々に溢れた病院を見学した。まず院内に入って驚いたのは広いエントランスと天井から差し込む柔らかな自然光だった。これらは後に訪れたイギリスの総合病院すべてに当てはまるが、病院のエントランス部分は大抵吹き抜けの広い開放的な空間で、自然光が入り込むように設計されている。これだけでも不安に駆られた病人やその家族の気持ちを随分落ち着かせる効果があるのではないかと思う。

そしてこの病院で最も特筆すべきなのが、アート・オフィスの存在で、1999年当時でさえ、常駐の学芸員が3名勤務していた。つまり病院で医

療に携わるのではなく、院内のアートマネジメント専従スタッフがいたのである。彼女たちは絵画や彫刻といった視覚芸術のみを扱うのではなく、音楽やパフォーミング・アーツ、様々な芸術文化を院内の患者やその家族、病院職員、そして病院外の地域の住民や勤労者たちがすべからく享受できるように寄付金を集め、優れたアート・プログラムを企画し運営していた。

　病気でもない近隣のサラリーマンやOLたちが、この病院にランチを食べに来る理由は、この病院では食事を楽しむだけではなく、無料で様々なアートに触れられるからだ。病院という、通常ならば人々が敬遠しがちな場所が、アートの力によって魅力的な場所へと生まれ変わり、地域の人たちにとっての憩いの場となっている状況を目の当たりにして衝撃を覚えた。

　現在この病院にはラジオ局はおろか、院内映画館という施設まで存在する。入院中で退屈な時間を持て余している人たちや介護に疲れた家族、毎日のストレスフルな仕事に心身ともに疲れ果てている医療スタッフにとって、ひとときの映画鑑賞が、わざわざ映画館に足を運ばずとも病院内で享受できるとすれば、どれほどの楽しみや安らぎ、また気分転換を与え得るものかと思う。

イギリスにおける国家的支援体制

　前述のように、思いがけないきっかけから「アーツフォーヘルス」という慈善団体のスタッフとして活動に関わった筆者だが、イギリスにはこのような団体が、国内に地域ごとに9ヶ所存在する。これらの慈善団体は「健康と幸福に関わる文化芸術連合」（Culture, Health and Wellbeing Alliance）に属する。それら9ヶ所の組織が各地域において、人々の健康や幸福に貢献する社会包摂的な芸術活動を繰り広げ、その実践や調査の報告書をアーツカウンシル・イングランドに提出することによってアーツカウンシルから経済的な支援を受けている。各慈善団体は各プロジェクトごとにアーツカウンシル外の財団等からも経済的支援を受けて活動している。

　2012年に設立されたこの団体は「人々の健康や幸福に関わるアートに

ついての憲章」を次のように記している。「我々は健康や介護の現場での創造的芸術活動の推進に関わる共同組合である。創造的な活動は、健康や生活の質に明らかな影響を及ぼすことは長い間知られてきた。アートや創造性や想像力は健康のために不可欠な要素である。それらは個人にレジリエンスを与え、回復を助け、社会の繁栄を促進する」。

　近年この医療、健康、幸福における芸術の効用は非常に注目されており、2014年には「芸術、健康と幸福に関する超党派議員連盟」（All Party Parliamentary Group on Arts, Health and Wellbeing）が結成され、彼らにより、政策提言書『クリエイティブ・ヘルス：健康と幸福に役立つ芸術』（Creative Health：The Arts for Health and Wellbeing）が2017年7月に上梓された。2年間にわたって、300名以上の人々（サービス利用者、芸術活動家、受刑者サービス・終末医療を含む保健と社会介護に従事している人々、公的機関の理事、財団関係者、研究者）との議論の蓄積に基づいた調査報告書で、文化芸術が人々の健康と幸福を維持するためにいかに有益であるかを、様々な事例を通して紹介している。

　例えば、音楽療法を受けた認知症患者の67%が、精神的動揺と薬の量を減らすことができた。イギリス国内にある2500ヶ所の美術館とギャラリーのうち、600の施設が、健康と幸福を目的としたプログラムを行っている。子ども参加型芸術活動は、子どもたちの認知力、言語力、社会的・精神的発達を向上させ、また通学への意識を高める等の調査結果が報告されている。

4 ホスピタルアートを日本に

　2000年にイギリスから帰国し、チャーツ99に参加した岩尾啓子とたった二人でスタートしたNPOアーツプロジェクトだったが、岩尾の幅広い人脈から、少しずつ日本の医療関係者に紹介していく機会を得た。当時から日本の病院にも絵画や彫刻作品は設置されており、それらと私たちが主張するところのホスピタルアートとの違いを説明するのは非常に難しかっ

た。そのような中、兵庫県の尼崎市にある関西労災病院の早川徹院長（現名誉院長）が熱心に耳を傾けてくださった。そうして 2002 年にアーツプロジェクトの活動の幕開けとして、関西労災病院の小児科外来の待合室を手がけ、抽象画家で絵本作家としても知られるアーティスト中辻悦子に彼女の絵本の中のキャラクターをレリーフ状のオブジェにして制作してもらい、同時に壁画も依頼した。

　これまでの日本の院内アートとホスピタルアートの大きな違いは何なのか？　既存の作品を病院に運んでくるのではなく、まさにオーダーメイドとも言うべき、その手法である。すなわち筆者たちが考えるホスピタルアートとは、このオーダーメイドを指し、その病院のその場に最もふさわしいアートの形を、病院とアーティスト、さらには仲介者となる当 NPO が共に手を携えて考え、生み出していくことである。

　関西労災病院での活動内容が大きく新聞一面に掲載されたことも手伝い、その後も NPO アーツプロジェクトの活動は、多くのメディアで取り上げられるようになった。活動開始からはや 20 年近くの歳月を迎える現在も、ありがたいことに、こちらから売り込みをかけたことは一度もない。それなのに、多くの病院や高齢者施設からお声がけをいただく NPO 法人にまで成長したことは、一重にこれまで惜しみなく尽力してきたスタッフやご協力いただいたアーティスト、病院関係者のお力の賜である。この場を借りて心から御礼申し上げたい。

　それでは、日本におけるホスピタルアートを導入した医療機関をいくつか紹介していこう。

　最初に紹介したいのは、香川県善通寺市の国立病院機構「四国こどもとおとなの医療センター」である。ここには森合音が日本で初めてのホスピタルアート・ディレクターとして勤務している。彼女は、NPO 法人アーツプロジェクトの 3 代目理事長であり、初代の岩尾啓子、2 代目の筆者から理事長を引き継いだ。

　NPO 法人アーツプロジェクトを設立した当時から、筆者らが最も実現

させたかった夢が、日本全国津々浦々の病院にホスピタルアート・ディレクターが雇用されることであった。そして生きたアートが常に生成し患者の生に寄り添うことだった。同医療センターでは、名誉院長・中川義信の理解を得て、開設時からホスピタルアートを病院の大きな特色に掲げた。そして本邦初のホスピタルアート・ディレクターとして森を採用し、内外に広くアピールしてくださった。中川の英断があってこそだった。感謝に堪えない。

森によると、ホスピタルアートの意義は、単に建物に施す「装飾」ではなく、病院の中に誰もが参加できる「フラットな対話の場」をつくること。そして様々な職種のスタッフが「対話の場」に「問い」を持ち寄り、ともに「病院づくり」に取り組むことである。

完成したアート作品のみが重要なのではない。病院をつくるプロセスこそ重要視するのだ。このプロセスは、自浄的、創造的な問題解決の場を、院内に持ち込むことにつながる。こうした彼女の考え方を、筆者自身、全面的に支持する。

アートが本来持っている、ある種アウトサイダー的な視点こそが、病院という巨大であり、ともすれば院内の常識や慣習に流されやすい体質について、時折自らに気づかせ、疑い、初心に還らせてくれる。ひいては医療事故の防止や健全な病院運営においても、効力を発揮するのではないだろうか。

森は日々院内での実践を積み上げ、ホスピタルアートの主な役割として、「病院理念の顕在化」「業務改善」「社会包摂」を挙げている。

紹介したい二つめの医療機関は、大阪府堺市の耳原総合病院である。病院改築時の2013年より当NPOが関わり、ホスピタルアート・ディレクターの室野愛子は地域の人たちと交流するところからスタートした。2014年に新病院が開設された折には、病院の歴史や理念が様々なアート作品となって可視化され、2015年には公式に「アート委員会」が設置された。

同病院は「無差別・平等の医療」「患者負担の少ない医療」を掲げ、差額ベッ

ド料を取らないことをうたうことで知られている。新病院建設に伴ってホスピタルアートが導入された。背景には勤務する一人の看護師の強い意志があった。院長・奥村伸二が一人の看護師の言葉に耳を傾け、長年貧困に苦しんできた地域に立地する同病院にこそ、地域のシンボルとなり、住民の誇りとなるようなアートが求められる、と理解した。

多くの看護職がホスピタルアートに強い関心を示し、導入を希求する例は多いが、総合病院という巨大組織の一看護師の思いが病院全体を動かすことはなかなか困難である。それだけに耳原総合病院の取り組みは光る。

この病院の地域交流ゾーンにはホールがあり、「異文化交流カンファレンス」や勉強会、演劇やパフォーマンスが繰り広げられている。前述のアート委員会、新たに増員予定の計3名ものアート・ディレクターらが、まさに病院という場を地域の文化発信基地としているのだ。この病院を見ていると、ホスピタルアートがいかに地域の人々の絆を支える力となっているのかが実感できる。

5 近畿大学病院の取り組み

筆者が教鞭をとっている近畿大学は西日本有数の総合大学である。文芸学部から医学部まであり、病院二ヶ所を擁する。二代目総長であった世耕政隆が医師であり、同時に詩人でもあったことから、文芸学部と医学部の設立に尽力されたことを伝え聞いている。2016年、近畿大学の文芸学部に「文化デザイン学科」が設立され、筆者も赴任した。芸術文化の力を社会につなげられる人を育てようというビジョンを掲げての開設だった。

大学では2009年から「HARTプロジェクト」と題したホスピタルアートの活動を展開している。

発足当初は主に文芸学部芸術学科の学生による作品展示を行っていた。2012年になると、「ベッドサイド・ユニバーシティ」という非常に画期的な講義を始めた。文芸学部から医学部まで幅広くある近畿大学の総合大学としての強みを生かした取り組みで、文芸学部の教員が病院に入院中の患

者に対して、文学の講義をインターネット回線を用いて行った。

　HART は、2014 年から現在に至るまで、夏フェスとクリスマスフェスという年 2 回のイベントを続けてきた。近畿大学病院（大阪府大阪狭山市）と近畿大学奈良病院（奈良市）を会場にして、毎年計 4 回開催している。2016 年に開催されたクリスマスフェスでは出演者が 45 名に達した。

　聴衆は 105 名（病院関係者を除く）も詰めかけ、非常に盛り上がった。マンドリンや混成合唱団には「アンコール」の声が挙がったほどである。

　アンケート用紙を配布すると、参加者 56 名から次の回答が寄せられたので紹介する。「単調な入院生活の中で、楽しい時間を過ごせました」「院内に美術展示のあること、知らなかったです。今日は感動のあまり涙が出ました。ありがとうございました」「とても楽しませていただきありがとうございました。どの学生の方々も一生懸命で、若々しく清々しい気持ちになり、私も学生時代に戻ってみたい気分になりました。音楽の力は本当に良いと思いました」「演奏も合唱もすごすぎて鳥肌がとまりませんでした。学生のトークを聞いて幸せな気持ちになりました。院内の絵はよく眺めています。すてきです。マンドリンできるようになりたいです」等々。

　最近の HART フェスでは、文芸学部生だけでなく、医学部や看護学部の学生も関わってくれるようになった。演奏や合唱を披露してくれる。彼ら彼女らがパフォーマンスを終えたあと、筆者はいつも「抜き打ち質問コーナー」を設ける。学生たちが医学部や看護学部を志した理由と、どのような医療者になりたいのかを質問することにしている。学びを決意した初心を思い出してもらいたいからである。彼ら彼女らの真摯な声を、観客である患者さんたちはまるで孫子の

写真 1　HART フェス

声のように温かく受け止めてくださる。このような機会でもなければ、若い医師や看護師の卵たちと患者が触れ合うことはない。表向きは偶発的にやっているものの、実はこの場面こそ私は HART フェスの目玉だと考えている。

　近大病院では数々のホスピタルアートを繰り広げてきた。そのなかで、最も筆者の印象に残っている出来事がある。それは小児科入院病棟でのことだった。小児科入院棟のデイルームで、学生らとともに行ったステンシルによる壁画制作だ。ステンシルとは型紙に抜かれた孔の部分から絵の具をすり込む技法のこと。入院中の子どもたちが、思い思いの絵の具がついたスタンプをポンポンと押して彩色していった。見る見る間に真っ白だった壁面に色鮮やかな大きな木ができあがっていった。赤、青、黄色…。実にカラフルで、子どもたちを勇気づけた。

　実はこの病院の小児科には、チャイルドライフスペシャリストが一人勤務していて、同プロジェクトが始まる直前に彼女から相談を受けていた。内容は、当時この入院棟に、小児がんで入院中の5歳の女の子二人がいて、子どもたちの母親から「どうしてもこのプロジェクトに参加させてほしい」と希望されているというものだった。

写真2　小児科入院病棟での壁画づくり

　壁画制作していた子どもたちと、この5歳の女の子たちの大きな違いは、抗がん剤の副作用により抵抗力が著しく低下していることだった。この子たちが、いくら入院棟とは言え、ドアの外側にあるデイルームで壁画制作に加わることは感染の問題があった。壁面への着色は、リスクの伴う行為だったのだ。しかし母親二人の懇願に「ぜひ願いを叶えてあげたい」と決意した。

当日、二人の子どもは、前と後ろを医師と看護師に挟まれる厳戒態勢で、デイルームに現れた。迎える学生たちと筆者は、事前に手を洗い直し、消毒し、新しいマスクに付け替えた。女の子たちは、我を忘れて夢中で壁画制作に没頭した。長い入院生活で、子どもたちが患者から「元の子ども」に戻ることのできる貴重な時間だった。この「時間」こそ、母親らが切望されたものであったに違いない。

　ホスピタルアートは完成された作品そのものだけが重要なのではない。制作に至るプロセスにとても意味があるのだと伝えたい。

6 広がりを見せはじめたホスピタルアート

　本稿では、ホスピタルアートにおけるイギリスでの歴史的背景や現状を紹介した。その取り組みは1970年代には単に病院などの療養環境のみの改善が主な活動内容であったものの、次第に広がりを見せ、現在では地域のみならず、国民全体がいかに芸術文化の力で人生をより健康的で豊かなものにするかが真意であるとの理解が広がった。超党派の国会議員たちがグループを結成し、報告書をまとめ、国会での議論に反映されるまでの事象になっている。翻って我が国の状況は、まだまだそれには及ばない。

　しかしながら、日本が大きく遅れを取っているかと言うと、一概にそうとも言い切れない。日本では、国家はまだノータッチの状況であるものの、多くの国立・公立・私立の病院がホスピタルアートに関心を示している。特に病院の改築時や新築時に、建設費の一部としてホスピタルアートを導入する病院が増えている。

　国からの補助金もなしに、それでも多くの病院がホスピタルアートの導入を始めたのは、単に病院を美しく飾ることだけが目的ではない。論理的で数値化されたエビデンスのみが信じられ運営される病院という施設で、アートという論理だけでは説明のつかない、極めて人間的な行為が求められているからだ、と筆者は思う。そこに現代の医療現場が抱える、多くの問題解決のための糸口が見えるからではないだろうか。

第8章

変わりつつある
「国のかたち」と「地域のしくみ」　　松本茂章

1 クロスオーバー化する文化政策

　本書で紹介した事例を読み通したとき、「国のかたち」や「地域のしくみ」が変容してきたことを実感するばかりである。これに応じて行政組織も変わらざるを得ず、市民自身も変容を求められる。中央で省庁横断的な政策が進められる一方、同様に、都道府県や市町村も従来の縦割り行政を排することが急務となる。その証拠の一つとして文化芸術基本法を事例に取り上げ、縦割りの組織がクロスオーバー化していく実態を報告した。

　省庁横断的な対応を求める時代の要請は、本書で取り上げた文化芸術基本法だけにとどまらない。たとえば 2-3「観光と協働した文化行政」で朝倉由希が紹介しているように、2008 年の歴史まちづくり法は文部科学省（文化庁）、国土交通省、農林水産省の共管でできた法律である。同法ではまちの「風致」が重視される。

　あるいは 2018 年 4 月に成立した国際観光旅客税（出国税）も興味深い。日本からの出国者に一人あたり 1000 円を課す国税で、「観光立国」に向けた基盤整備の財源になる。恒久的な国税の新設は地価税（1992 年）以来、実に 27 年ぶりのことだという。執行官庁は法務省、財務省、文化庁、観光庁、環境省、宮内庁の計 6 省庁に広がっている。

　2019 年 1 月に施行され、徴収が始まった。各紙の新聞報道によると、省庁横断的な税金の使い道が見えてきた。政府は東京五輪・パラリンピックの 2020 年度に訪日外国人の数を 4000 万人に増やす目標を掲げており、2019 年度で 500 億円と見込まれる税収を観光振興に活用するという。得られた税の使途は改正国際観光振興法で定められ、①快適な旅行環境の整備、②日本の魅力発信、③旅行者の満足度向上の 3 分野に投入されると

いう。今後も伸びていくと期待される同税は、都市部に集中する外国人観光客を地方分散させる施策にも使われる。

　初年度の2019年度予算案に関する新聞各紙の報道では、①快適な旅行環境の整備に224億円が支出される。内訳は出入国審査の際に顔認証を用いて時間を短縮させるのに71億。観光地のまち歩き環境整備に31億円など。②日本の魅力発信では海外での訪日プロモーションに51億円。③旅行客の満足度向上は225億円。文化資源の活用に100億円。国立公園の活用に51億円。皇室ゆかりの美術品を収蔵する皇居の「三の丸尚蔵館」を改築するのに15億円などという。このような省庁のクロスオーバー化はこれからも広まっていくに違いない。

② 文化芸術は社会の「土壌」

　本書で紹介できた諸論考、たとえば「地域の歴史と食文化を通した国際交流」（高島）、「地域の誇り形成を目指したアートプロジェクト」（大澤）、「食育とコミュニティ形成」（西村）などで紹介された事例をみるとき、文化芸術の振興は、地域の土を掘り起こし、風を通し、堆肥を与え、将来の芽を伸ばす「土づくり」や「耕し方」なのではないか、と気づいた。そこで終章である第8章では、文化芸術分野を「土壌」と位置づけて、地域のデザインが進展していく将来像を想定しながら書き進めていく。

　「国のかたち」が変わるとき、何を忘れてはならないのか？「地域のしくみ」が変容するとき、何が必要なのか？　筆者は「文化芸術である」と言いたい。文化芸術の振興という個別の政策分野があるのではなく、地域社会の「土壌」として文化芸術がある。「土づくり」や「耕し方」のありようを考えるのが文化政策ではないか。だからこそ省庁、都道府県、市町村の担当者には文化振興の大切さをかみしめていただきたい。

　年金制度で例えてみよう。1階部分の基礎年金（国民年金）が文化芸術であり、2階の厚生年金が省庁ごとに縦割りされた政策分野であるというイメージだ。文化芸術という豊かな「土壌」の上に「産業振興の樹木」「観

光開発の樹木」「国際交流の樹木」「福祉・医療充実の樹木」「教育振興の樹木」などが育ち、青い葉を繁らせる。この場合、読者のみなさんは太い幹だけに水を与えるだろうか？　樹木が生えていないところにこそ水をやり、耕して、若い芽を育てようとするのではないだろうか。樹木のない土地に水を与えることが大きな木を支える土壌づくりにもなる。農業は「土壌改良から」と農家の方がよく言うではないか。

　文化芸術はしばしば花や葉にたとえられてきた。表現する試みなので「花開く」というイメージが持たれがちであった。しかし花が咲かないものは無駄だったのか？　そうではないだろう。「花開く」ことを重視するのであれば表現者だけが文化芸術の成果を独占することにならないか。創作によるクリエイティビティは尊いものだと理解するが、本来、文化振興の目指すところは、木々が成長できる元となる「土壌づくり」なのではないか。

　文化芸術を振興する政策を未来の可能性に「水を与える試み」「耕す取り組み」と理解するとき、特定の省庁、自治体の特定部署だけが担当するわけにはいかない。総がかり体制が必要である。行政だけでなく、市民も企業・事業者も加わった体制が求められる。だからこそ、筆者は以前から「地域ガバナンス」（行政だけでなく市民や企業・事業者も加わって地域経営する取り組み、共治）と文化政策の強い関連性を問いかけてきた。[注1]

3 本書で浮かび上がってきたこと

　計11人の原稿を集め、一気に読み通したとき、いくつかの思いが頭をよぎった。最後に本書から浮かび上がって来たことを編者としてまとめてみる。

「未知のもの」への支援

　一つには、評価の定まっていないものを支援することの大切さを熟考したい。これまで文化芸術の振興を「未来への投資」と言うことがあった。「投資」には少しひっかかりを感じる。投資する限りはリターンを求めるわけ

だから。リターンのない投資は失敗なのかどうか。そこで本章では「投資」
の代わりに「土づくり」「耕し方」と表現した。

　「未知のものへの支援」を重視する理由は、日本の文化政策のありよう
に疑問を有するからである。一つには、省庁であれ、自治体であれ、わが
国の文化政策は結局のところ、評価の定まった文化芸術、あるいは名前が
よく知られた文化人や芸術家に対する支援策が中心であり続けてきたとい
う反省をかみしめたい。どの省庁や自治体が文化政策を手がけるにしろ、
あるいは省庁横断的な取り組みが仮に実現しようとも、この反省を踏まえ
ない限り、日本の未来には暗雲が垂れ込める。欠けているのは「未来」に
向けた志向である。

　この視点をもとに本書を読み通すと、いくつかの興味深い記述を見いだ
せた。4-2（高島）のなかで紹介されたオランダ大使館の決断は印象的で
ある。何ものなのかの評価がまだ定まっていなかった平戸の菓子開発事業
「Sweet Hirado」に対して、「seed money」として100万円の財政支援を
行った。「支援を集めやすくするために最初の支援を決定した」のだという。
逆に言えば、日本の行政組織が手をこまねいている平戸の試みに外国大使
館が「未来への土づくり」をしてくれたわけである。高島は「未知のもの
に税金を投じることが憚られる」と述べ、日本国内の空気のありようを嘆
いている。まったく同感である。

　2-3（朝倉）に登場する村上佳代（文化庁文化財調査官）が語った言葉
も思い返したい。「すでに価値が明らかになっているものよりも、まだ価
値が明らかになっていないものを見出して、その価値を広め共有したり活
用方法を考えたりする方に面白みを感じる」と語り、エコミュージアムを
推進している。同感である。文化庁の予算の60％は文化財保護に支出され、
文化財調査官は評価の定まった文化に関心が強いと思い込んでいた。それ
だけに筆者は反省し、とても頼もしく感じた。

　2-2（西村・松本）では、エコツーリズムがこれという資源のないとこ
ろから生まれたことが紹介されている。中米の小国コスタリカには近隣国

のような古代マヤ文明の遺跡に恵まれなかったために、「自然」を観光資源として磨いたという。エコツーリズムは文化のないところから文化を創造してきたのだ。「未知のものへの支援」「未来への土づくり」と相通じるところがあると筆者は感じた。

「未知のものへの支援」「未来への土づくり」と言えば、現代アート、特に若者文化が代表的であろう。同時代のアートは現時点で評価されていなくても、30年後、50年後に評価を高めて地球規模に広がることは、漫画・アニメなどの事例を見れば理解されよう。一方で、地域に残されながら、地元でしか知られていない無名の文化資源を「再発見」して、いくばくかの革新を行い、世界に価値を伝えることも、大切な地域デザインの役割であろう。たとえば3-1（松本）で紹介した「近江の麻」の取り組みのように。7-2（森口）で登場する事例も興味深い。病院でのアートプロジェクトは病院を単に飾るわけではなく、未来の医師である現在の医学生にアートの価値や創作のプロセスを感じさせる場面の記述に感激した。「そうなんだよ」「その通り」と独り言をつぶやきながら読んだ。まさに未来志向の試みである。

こうした新たな可能性への支援が文化政策である、と言い切るパラダイム転換が求められているのだ。草木が生えていない土地にこそ、水をやり、土を耕し、植物を育てないと、未来は開けないものだから。

欠かせない「地域文化デザイン人材」

二つに、興味深い取り組みを展開する地域には必ずと言っていいほど魅力的な人材が活動している。本書でも、各稿で実に魅力的な人々が活躍する様子が紹介された。地域を愛してきた市井の人々である。

従来は、文化芸術を「花づくり」と位置付けていたから、芸術家やアートプロデューサーの役割が重視されてきたように思う。しかしシニア世代などのように専門教育を受けていなくても「文化で地域をデザイン」する人材になれるのだ。高齢社会の到来に伴うシニア世代の多様なキャリアパ

ス形成にも役立つ。

5-2（川本）では、高架道路の建設をめぐり住民と名古屋市が激しく対立して住民訴訟に至った過程が描かれている。対立した両者の橋渡し役を務め、文化芸術を通じた地域づくりを図ったのが「やまのて音楽祭」の実行委員だった主婦、そして名古屋市緑政土木局元職員の二人であった。川本が「キーパーソン」と呼んだ二人なくしては対立した地域状況を融和させることが難しかったことが川本原稿からよく分かった。「官民協働は言うは易く、行い難い」ものなのである。解決の糸口がこの二人から始まった事実に感激した。二人が耕した土壌から、草花が育ち、樹木が葉を茂らせた。

5-1（松本）に登場する東京高円寺阿波おどり振興協会の常務理事兼事務局長・冨澤武幸は商家に生まれ育った。3歳から阿波おどりに親しみ、同おどりを継続するための資金集め、ボランティア育成、事務作業に奔走する日々だ。いつの間にか高円寺の阿波おどりは東京の名物になった。3-2（松本）で触れた浜松・ゆりの木通りの鈴木基生は抜群に面白い人物である。万年橋パークビルの社長なのだが、上意下達の人ではなく、学生らを魅了して、いつの間にか、ゆりの木通りの活性化に若い力を導入することに成功した。

筆者は、こうした「文化で地域をデザインする」人材を「地域文化デザイン人材」と呼んでみたい。聞き慣れない言葉かもしれないが、筆者は2冊目の単著『官民協働の文化政策　人材・資金・場』（水曜社、2015）のなかで「文化政策人材」という言葉を用いて、こうした人材の大切さを指摘した。「地域デザイン」を見つめる本書では、「地域文化デザイン人材」と言い換えて、その必要性を提唱する。

なぜなら、これまで用いられた「文化人材」という言葉は画家、陶芸家、演劇人、歌人、歴史家、書道家…など芸術家あるいは学識者を指す場合が多い。一方で文化芸術、地域事情のいずれにも精通しつつ、行政のしくみを理解したうえで、地域経営の牽引役、あるいは調整役を務めることので

きる人材が不可欠なのである。

　エコツーリズムを取り上げた 2-2（西村・松本）で紹介された「インタープリター」高御堂厚も「地域文化デザイン人材」の一人である。だれもがエコツーリズムを知らない 20 年前に米国から同概念を導入し、自然と社会のありようを伝える「インタープリター」の存在の大切さを訴え、地域のデザインを変えていったからだ。

　鳥取市における空き家活用の事例もこうした人材によって促進された。京都で学生時代を過ごし、東京と名古屋でアートの仕事を重ねて帰郷した県立博物館主任学芸員・赤井あずみも地域文化デザイン人材の一人だと筆者は受け止めて鳥取まで会いに行った。しかし一人の取り組みだけでは難しい。空き家を借りるのには信用がないと難しい。鳥取の場合、鳥取大学の教授が借り、同大学に本部を置いた実行委員会の名前で活動する。地域とともに教育・研究活動を続けてきた地元の国公立大学には人々が信頼を寄せており、空き家を借りる際に大学が信用担保を提供した。

　執筆者のなかにも「地域文化デザイン人材」が存在している。4-1 の「文化活動を通じた多文化共生の取り組み」で浜松の取り組みを紹介した池上重弘、5-4 で「地域の誇り形成を目指したアートプロジェクト」を書いた八戸市職員の大澤苑美、6-2 の「食育とコミュニティ形成」を執筆した西村和代、7-2 の「ホスピタルアートの可能性」をつづった森口ゆたか、は自身こそが「地域文化デザイン人材」であると筆者は受け止めた。

　公立文化施設も「地域文化デザイン人材」の宝庫の一つである。自治体出資の文化財団にも優れた人材が多数いる。指定管理者制度の導入で彼ら彼女らは息苦しい空気に包まれているが、もっとスポットライトが当たってほしい。丁寧に育てなくてはならない大切な地域人材である。7-1（長津）には宮崎県都城市の総合文化ホールが社会包摂に取り組む様子が描かれている。ホール事業課職員だった松原正義も「地域文化デザイン人材」の一人と思われる。

　こうした「地域文化デザイン人材」はどうすれば育てられるのか？　教

育で何とかなるものなのか？　生まれつき備わった資質なのか？　教育現場に勤務する筆者にとって自問自答する日々である。育てられると信じて日々の教育活動を丁寧に進めていくしかない。「地域文化デザイン人材」が豊かに存在すればするほど地域は魅力的になっていくという仮説が浮上したとき、行政にとって「文化で地域をデザインする人材」を育てることこそ、まさに喫緊の政策課題なのだ。

「東京から世界へ」ではなく「地域から世界へ」

　三つめに浮かび上がったのは地域と地球との関係である。地域に豊かな土壌があり、「地域文化デザイン人材」がいれば世界につながっていける。そこでグローバル化した世界のなかで生き残る、あるいは通用する文化芸術とは何か、と考えると、最終的には地球規模で普遍化した文化芸術、あるいは地域独自の文化芸術のいずれか二つに集約されていくのではないだろうか…。たとえば前者としては大人気のハリウッド映画、世界を席巻するポップス音楽などを思いつく。後者については本書で取り上げた地域の文化資源が挙げられる。「国のかたち」を考えるとき、前者も後者も、いずれも大切な文化資源である。

　これまで地域から世界に出ていく場合、東京を経由することが多かった。東京でいったん価値判断されてから世界に発信されていた。しかしインターネットやSNSがこれだけ発達して地球が狭くなった現在、東京経由は不要になっていく。地域から世界に飛び出したり、世界から直接、日本各地に飛び込んだりする文化芸術のありようが予想される。沖縄のメロディが世界を席巻するように、地域のオリジナリティが地球を魅了する。

　本書でいえば、3-1（松本）で紹介した「近江の麻」の「野々捨」柄の逸話は印象に残る。廃業した会社の倉庫に積まれて廃棄直前だった型紙が、博物館でデータ化されて図案集が発刊されると、価値に気付いた人々が現れて産業化が図られた。東京を経由しないで直接パリなどの海外に出展された。

上記の状況を思うとき、自治体が文化外交あるいは自治体外交から手を引きつつある現状は惜しまれる。筆者が全国紙の記者だった1980年代から90年代前半には姉妹都市交流などの自治体外交が盛んに試みられた。バブル経済の崩壊後、停滞し、さらにリーマンショックなどもあって減少しつつある様子は、4-2（高島）に詳しく紹介されている。往時を知る者としては残念である。

　国家単位の外交を考えることは大事である。国を代表する優れた文化芸術の育成も国際的な文化戦略上、欠かせない。しかしそれだけでいいのだろうか。地域からの発信を含めた、バランスの取れた対外文化政策が求められる。

　国際性でいえば、2-1（土屋）では六本木の美術館やアートプロジェクトの姿が描かれた。東京はアジアの主要都市と競い合いながら国際観光を目指していた。こういう競い合いは今後、各地域でも展開されていくだろう。

　日本と外国を考えるうえで忘れてならない存在は、4-1（池上）で紹介された「日本国内の外国人」である。国際交流というと「海の向こう」のことばかり考えがちだが、池上によると京都府あるいは広島県の人口に匹敵する数の外国人が今まさに日本国内に居住しているという。地域性によって国内に居住する外国人の環境は異なるわけで、在日外国人の動向は地域の文化的寛容度を測るバロメーターである。

　以上のことを思うとき、地域あるいは地方都市の可能性は広がる。人口が縮小して東京一極集中が進んでいるのは確かなのだが、人口の多さや経済規模だけが生きやすさを左右するわけではない。5-3（松本）の「空き家対策とアートマネジメント」で取り上げた鳥取の赤井あずみが語っていたように、小さな地方都市だからこそ人の顔が見え、個人の小さなお金でも空き家を借りることができ、個人単位のまちづくりが可能になる。鳥取県では2017年度に2157人が移住してきた。死去や就職・進学等による転出はもっと多いのだが、鳥取県における2000人は人口が23倍である

東京都に換算すると5万人の移住に相当する大きな数字である。何かが胎動しているとしか思えない。

　地域独自の文化を昇華させていくと、世界に通じるものが生まれてくる。今はそれほど有名でなく、「未知のもの」ではあるものの、地域の文化資源を再発見して育て、海外に伝えていく取り組みは「文化で地域をデザインする」ことの大切な役割である。

　各執筆者から寄せられた原稿を読み通したとき、予想をはるかに超えて、文化に関する取り組みが水平方向に広がっている実態が分かった。これらは、もはや「文化政策」という枠組みだけではとらえにくくなるのかもしれない。総合的に取り組む政策が急務なのだ。筆者自らが考えていた文化政策分野がいかに狭かったのか、反省するばかりである。逆にいえば、これほど広いフィールドが広がっているわけで、限りない可能性を秘めている。新時代の到来を自覚し、新鮮な気持ちと新しい視点で、新たな研究テーマを見出だしていきたい。

注
1) 松本茂章『官民協働の文化政策　人材・資金・場』水曜社、2011年を参照。

おわりに

　本書『文化で地域をデザインする　－社会の課題と文化をつなぐ現場から
－』を企画した直接の引き金は、2018 年に研究団体「文化と地域デザイン
研究所」（代表・松本茂章）を設立したことである。文化政策の対象が広がっ
ていくなか、関連分野の研究者たちとより一層連携できるような「研究のプ
ラットフォーム」をつくろうと思いたった。立ち上げる際に研究仲間と交わ
した熱っぽい論議が本書の基礎となっている。理事 4 人が本書の執筆陣に加
わった。

　筆者は学縁に恵まれ、多くの研究者と知り合う機会があった。そこで本書
の執筆者には、自身が会長を務める日本アートマネジメント学会や理事を務
める日本文化政策学会の会員である若手研究者、本務校の同僚、博士号を取
得した同志社大学大学院総合政策科学研究科の研究仲間に声をかけ、執筆陣
に加わってもらった。空論にならないよう現場に精通した人材を選んだ。幸
いにして多様な人材が本書に集い、多彩な論点を展開してくださった。自ら
では言及できない地域課題をカバーすることができた。

　研究者と実践家の双方に原稿を依頼したので、分析と実践報告等が混じり
合っているところがある。構成や表記の統一を心がけたものの、読みにくい
面があるとすれば、ひとえに編者の力量不足である。とはいえ編纂を終えて
みて、とても勢いのある書籍に仕上がったと受け止めている。読者のみなさ
んが地域のデザインに取り組む際に、参考や刺激になることを期待する。

　筆者の専門は地域文化政策研究なので、公立文化施設（博物館・美術館・
図書館・文化会館・アートセンター等）の管理と運営、地方自治法に基づく
指定管理者制度などの現場を歩いてきたが、本書では本来の専門を越えて、
より広範囲な地域課題を担当した。掲載順に言えばエコツーリズム、伝統工
芸、商店街、踊りと地域社会、空き家対策、廃校活用である。専門外ながら
新たな気づきも得られた。文化政策研究者から見えてきた新鮮な地域の風景
を描くことができた。

　各分野の専門家からみれば、不十分に思える記述があるかもしれないが、
一方で、「文化で地域がデザインされている、まさに今」の状況を記録すること

ができたと振り返っている。かつて全国紙記者だったので、本書をジャーナリスティックにつづり、文化芸術と地域デザインの関係の「今」を考えたかった。

　地域に足を付けた地道な活動の紹介を通じて、見えてきた新たな地域の風景は、永田町や霞が関から見える風景とは別のものであり、次世代への胎動を予言するものだ。

　本書は多くの方々のご支援によって生み出された。趣旨を理解してくださった執筆者、現地調査に協力いただいた関係者のみなさまに厚く御礼申し上げる。紙面構成上、登場願った方々のお名前は敬称を省略させていただいた。ご理解を賜りたい。そして本書の編集を担当された学芸出版社の岩﨑健一郎さんに感謝の気持ちをお伝えする。筆者にとって同社からは初めての出版なので、フレッシュな気持ちで編纂に臨んだ。

　年号が平成から令和に変わった 2019 年度は思い出深い年になった。同じ年度に単独の編著 2 冊を世に問うことができたからである。公立文化施設の管理と運営を見つめた松本茂章編著『岐路に立つ指定管理者制度　－変容するパートナーシップ－』（水曜社、2019 年 7 月）と本書『文化で地域をデザインする－社会の課題と文化をつなぐ現場から－』の編纂は一時期重なったが、まったく苦にならなかった。公立文化施設の現状と課題を見つめた前者と、文化と地域デザインの多様な関係性に焦点をあてた後者とはスタンスが違うものの、文化芸術と社会のありようを考える点では通底している。どちらの視点も欠かせないものだと思う。

　本書では、文化と関連分野の有機的連携のありようを描くことに努めた。地域の幅広い諸課題を取り上げ、総合的な政策の実現を訴えた。広範囲な課題を取り上げた分、読者層も広がることになった。公務員、議員、団体職員、企業関係者、大学の研究者・院生・学部生など地域の課題解決に関心のある多くの方々に読んでいただきたいと願う。明日への糧になれば幸いである。

2020 年 1 月

編著者　松本　茂章

著者略歴

土屋隆英 （つちや　たかひで）

京都市京セラ美術館リニューアル準備室展覧会プログラムディレクター。関西学院大学経済学部卒業。カーネギーメロン大学公共政策大学院修了（アーツマネジメント修士）。ワシントン・ナショナル・ギャラリー、ジャパン・ソサエティ等を経て、2000年森ビル株式会社入社。森美術館にて企画・国際交流等に携わる。2018年より現職。慶應義塾大学非常勤講師。

西村仁志 （にしむら　ひとし）

広島修道大学人間環境学部教授、博士（ソーシャル・イノベーション）。1993年京都にて個人事務所「環境共育事務所カラーズ」を開業。同志社大学大学院総合政策科学研究科准教授を経て、2012年より広島修道大学に着任。編著書に『ソーシャル・イノベーションが拓く世界』（法律文化社）ほか。

朝倉由希 （あさくら　ゆき）

文化庁地域文化創生本部総括・政策研究グループ研究官。京都大学文学部卒業。企業勤務を経て東京藝術大学大学院応用音楽学博士後期課程修了。博士（学術）。文化芸術の多様な意義と、それを考慮に入れた評価のあり方について研究を進める。2017年より現職。静岡文化芸術大学等非常勤講師。日本文化政策学会理事、日本アートマネジメント学会運営委員（広報委員長）。

池上重弘 （いけがみ　しげひろ）

静岡文化芸術大学教授。移民政策学会理事。北海道大学大学院文学研究科博士後期課程単位取得満期退学。同大助手、静岡文化芸術大学助教授等を経て2008年より教授。専門は文化人類学、多文化共生論。文部科学省等の有識者会議等の委員や、愛知県、静岡県、浜松市、磐田市等の多文化共生に関わる委員を歴任。

高島知佐子 （たかしま　ちさこ）

静岡文化芸術大学文化政策学部准教授。専門は経営学・アートマネジメント。博士（商学）。（独）中小企業基盤整備機構で中小企業支援に携わり、大阪市立大学都市研究プラザ、京都外国語大学を経て2014年より現職。伝統文化を担う組織を中心に、芸術・文化団体の長期的な経営について研究。

川本直義 （かわもと　なおよし）

株式会社伊藤建築設計事務所取締役エルイー創造研究室長。NPO法人世界劇場会議名古屋理事・事務局長、文化経済学会〈日本〉理事、日本アートマネジメント学会運営委員（総務委員長）等。名古屋大学大学院環境学研究科博士課程後期修了。博士（環境学）。技術士（建設部門）。一級建築士。名古屋市地域まちづくりアドバイザー。

大澤苑美 （おおさわ　そのみ）

八戸市まちづくり文化推進室主事兼学芸員。東京藝術大学大学院修了。一般財団法人地域創造に勤務後、2011年より八戸市芸術環境創造専門員となる。2018年より現職。南郷アートプロジェクト、八戸工場大学等のアートプロジェクトを企画運営するほか、新美術館の建設準備等、八戸市の文化行政に携わる。

西村和代 （にしむら　かずよ）

カラーズジャパン株式会社代表取締役。一般社団法人エディブル・スクールヤード・ジャパン共同代表。同志社大学嘱託講師。広島修道大学非常勤講師。おばんざい食堂ひとつのおさらのオーナーシェフ。調理師。京都市食育指導員。同志社大学大学院総合政策科学研究科博士課程（後期課程）修了。博士（ソーシャル・イノベーション）。

長津結一郎 （ながつ　ゆういちろう）

九州大学大学院芸術工学研究院助教。東京藝術大学大学院音楽研究科音楽専攻音楽文化学分野芸術環境創造領域博士後期課程修了、博士（学術・東京藝術大学）。2016年から現職。障害者芸術関連の国の委員も歴任。日本文化政策学会理事、日本アートマネジメント学会運営委員。著書に『舞台の上の障害者：境界から生まれる表現』（九州大学出版会、2018年）ほか。

森口ゆたか （もりぐち　ゆたか）

近畿大学文芸学部文化デザイン学科教授、NPO法人アーツプロジェクト副理事長。1998年から2年間にわたるイギリス滞在中にホスピタルアートと出会い、以来美術家としての活動と並行して、医療現場でのアートの可能性を探る活動をしている。2004年にNPO法人アーツプロジェクトを設立。2016年4月より近畿大学文芸学部に新設された文化デザイン学科において、ホスピタルアートを中心に「芸術と社会」という観点から教育に携わる。

【編著者】

松本茂章（まつもと　しげあき）

公立大学法人静岡文化芸術大学 文化政策学部／文化政策研究科 教授

読売新聞記者、支局長を経て2006年から県立高知女子大学（現在、高知県立大学）教授。2011年から現職。早稲田大学教育学部地理歴史専修卒業、同志社大学大学院総合政策科学研究科博士課程（後期課程）修了。博士（政策科学）。

専門は自治体文化政策。官民協働や地域ガバナンス（共治）の視点から全国各地の文化施設・団体を訪ね歩き、調査研究してきた。文化を活かしたまちづくりに関心がある。近年は対外文化政策にも関心を広げ、パリなどの日本系文化施設・団体を調査している。

日本アートマネジメント学会会長、日本文化政策学会理事。文化と地域デザイン研究所代表。単著に『芸術創造拠点と自治体文化政策　京都芸術センターの試み』（2006）、『官民協働の文化政策』（2011）、『日本の文化施設を歩く』（2015）。単独の編著に『岐路に立つ指定管理者制度－変容するパートナーシップ』（2019）（いずれも水曜社）。共著に『入門 文化政策』（ミネルヴァ書房、2008）、『地域の自律的蘇生と文化政策の役割』（学文社、2011）、『都市自治体の文化芸術ガバナンスと公民連携』（日本都市センター、2018）など多数。

文化で地域をデザインする
社会の課題と文化をつなぐ現場から

2020年3月10日　第1版第1刷発行

編著者………松本茂章
著　者………土屋隆英・西村仁志・朝倉由希・
　　　　　　　池上重弘・高島知佐子・川本直義・
　　　　　　　大澤苑美・西村和代・長津結一郎・
　　　　　　　森口ゆたか

発行者………前田裕資
発行所………株式会社 学芸出版社
　　　　　　　京都市下京区木津屋橋通西洞院東入
　　　　　　　〒600-8216　電話 075-343-0811
　　　　　　　http://www. gakugei-pub. jp/
　　　　　　　Email　info@gakugei-pub. jp

編集担当……岩﨑健一郎

ＤＴＰ………株式会社フルハウス
装　丁………中川未子（よろずでざいん）
印　刷………イチダ写真製版
製　本………山崎紙工
Ⓒ　松本茂章他　2020
ISBN 978-4-7615-2730-3　Printed in Japan